演習部

選脚色，正音韵等事，載在《歌舞》項下。男優女樂，事理相同，欲習聲樂者，兩類互觀，始無缺略。

選劇第一

填詞之設，專爲登場；登場之道，蓋亦難言之矣。詞曲佳而搬演不得其人，歌童好而教率不得其法，皆是暴殄天物，此等罪過，與裂繒毀璧等也。方今貴戚通侯，惡談雜技，單重聲音，可謂雅人深致，崇尚得宜者矣。所可惜者：演劇之人美，而所演之劇難稱盡美；崇雅之念真，而所崇之雅未必果真。尤可怪者：最有識見之客，亦作矮人觀場，人言此本最佳，而輒隨聲附和，見單即點，不問情理之有無，以致牛鬼蛇神塞滿氍

毹之上。極長詞賦之人，偏與文章爲難，明知此劇最好，但恐偶違時好，呼名即避，不顧才士之屈伸，遂使錦篇綉帙，沉埋瓿瓮之間。湯若士之《牡丹亭》、《邯鄲夢》得以盛傳于世，吴石渠之《緑牡丹》、《畫中人》得以偶登于場者，皆才人僥幸之事，非文至必傳之常理也。若據時優本念，則願秦皇復出，盡火文人已刻之書，止存優伶所撰諸抄本，以備家弦户誦而後已。傷哉，文字聲音之厄，遂至此乎！吾謂《春秋》之法，責備賢者，當今瓦缶雷鳴，金石絶響，非歌者投胎之誤，優師指路之迷，皆顧曲周郎之過也。使要津之上，得一二主持風雅之人，凡見此等無情之劇，或弃而不點，或演不終篇而斥之使罷，上有憎者，下必有甚焉者矣。觀者求精，則演者不敢浪習，黄絹色絲之曲，外孫齏臼之詞，不求而自至矣。吾論演習之工而首重選劇者，誠恐劇本不佳，則主人之心血，歌者之精神，皆施

于無用之地。使觀者口雖贊嘆，心實咨嗟，何如擇術務精，使人心口皆羨之爲得也。

別古今

選劇授歌童，當自古本始。古本既熟，然後間以新詞，切勿先今而後古。何也？優師教曲，每加工于舊而草草于新，以舊本人人皆習，稍有謬誤，即形出短長；新本偶爾一見，即有破綻，觀者聽者未必盡曉，其拙盡有可藏。且古本相傳至今，歷過幾許名師，傳有衣鉢，未當而必歸于當，已精而益求其精，猶時文中『大學之道』、『學而時習之』諸篇，名作如林，非敢草草動筆者也。新劇則如巧搭新題，偶有微長，則動主司之目矣。故開手學戲，必宗古本。而古本又必從《琵琶》、《荆釵》、《幽閨》、《尋親》等曲唱起，蓋腔板之正，未有正于此者。此曲善唱，則以後所唱之曲，腔板皆不謬矣。舊曲既熟，必須間以新詞。切勿聽拘士腐儒之言，謂新劇不如舊劇，一概弃而不習。蓋演古戲，如唱清曲，衹可悦知音數人之耳，不能娱滿座賓朋之目。聽古樂而思卧，聽新樂而忘倦。古樂不必《簫》、《韶》，《琵琶》、《幽閨》等曲，即今之古樂也。但選舊劇易，選新劇難。教歌習舞之家，主人必多冗事，且恐未必知音，勢必委諸門客，詢之優師。門客豈盡周郎，大半以優師之耳目爲耳目。而優師之中，淹通文墨者少，每見才人所作，輒思避之，以鑿枘不相入也。故延優師者，必擇文理稍通之人，使閱新詞，方能定其美惡。又必藉文人墨客參酌其間，兩議僉同，方可授之使習。此爲主人多冗，不諳音樂者而言。若係風雅主盟，詞壇領袖，則獨斷有餘，何必知而故詢。噫，欲使梨園風氣丕變維新，必得一二縉紳長者主持公道，俾詞之佳音必傳，劇之陋者必黜，則千古才人心死，現在名流，有不以沉香刻木而祀之者乎？

劑冷熱

今人之所尚，時優之所習，皆在熱鬧二字；冷靜之詞，文雅之曲，皆其深惡而痛絶者也。然戲文太冷，詞曲太雅，原足令人生倦，此作者自取厭弃，非人有心置之也。然盡有外貌似冷而中藏極熱，文章極雅而情事近俗者，何難稍加潤色，播入管弦？乃不問短長，一概以冷落弃之，則難服才人之心矣。予謂傳奇無冷熱，祇怕不合人情。如其離合悲歡，皆爲人情所必至，能使人哭，能使人笑，能使人怒髮衝冠，能使人驚魂欲絶，即使鼓板不動，場上寂然，而觀者叫絶之聲，反能震天動地。是以人口代鼓樂，贊嘆爲戰争，較之滿場殺伐，鉦鼓雷鳴，而人心不動，反欲掩耳避喧者爲何如？豈非冷中之熱，勝于熱中之冷；俗中之雅，遜于雅中之俗乎哉？

變調第二

變調者，變古調爲新調也。此事甚難，非其人不行，存此説以俟作者。才人所撰詩賦古文，與佳人所製錦綉花樣，無不隨時更變。變則新，不變則腐；變則活，不變則板。至于傳奇一道，尤是新人耳目之事，與玩花賞月同一致也。使今日看此花，明日復看此花，昨夜對此月，今夜復對此月，則不特我厭其舊，而花與月亦自愧其不新矣。故桃陳則李代，月滿即哉生。花月無知，亦能自變其調，矧詞曲出生人之口，獨不能稍變其音，而百歲登場，乃爲三萬六千日雷同合掌之事乎？吾每觀舊劇，一則以喜，一則以懼。喜則喜其音節不乖，耳中免生芒刺；懼則懼其情事太熟，眼角如懸贅疣。學書學畫者，貴在仿佛大都，而細微曲折之間，正不妨增減出入，若止爲依樣葫蘆，則是以紙印紙，雖云一綫不差，少天然生動之趣矣。因創二法，以告世之執郢斤者。

縮長爲短

觀場之事，宜晦不宜明。其説有二：優孟衣冠，原非實事，妙在隱隱躍躍之間。若于日間搬弄，則太覺分明，演者難施幻巧，十分音容，止作得五分觀聽，以耳目聲音散而不聚故也。且人無論富貴貧賤，日間盡有當行之事，閲之未免妨工。抵暮登場，則主客心安，無妨時失事之慮，古人秉燭夜游，正爲此也。然戲之好者必長，又不宜草草完事，勢必闡揚志趣，摹擬神情，非達旦不能告闋。然求其可以達旦之人，十中不得一二，非迫于來朝之有事，即限于此際之欲眠，往往半部即行，使佳話截然而止。予嘗謂好戲若逢貴客，必受腰斬之刑。雖屬謔言，然實事也。與其長而不終，無寧短而有尾，故作傳奇付優人，必先示以可長可短之法：取其情節可省之數折，另作暗號記之，遇清閑無事之人，則增入全演，否則拔而去之。此法是人皆知，在梨園亦樂于爲此。但不知減省之中，又有增益之法，使所省數折，雖去若存，而無斷文截角之患者，則在秉筆之人略加之意而已。法于所删之下折，另增數語，點出中間一段情節，如云昨日某人來説某話，我如何答應之類是也；或于所删之前一折，預爲吸起，如云我明日當差某人去幹某事之類是也。如此，則數語可當一折，觀者雖未及看，實與看過無异，此一法也。予又謂多冗之客，并此最約者亦難終場，是删與不删等耳。嘗見貴介命題，止索雜單，不用全本，皆爲可行即行，不受戲文牽制計也。予謂全本太長，零齣太短，酌乎二者之間，當仿《元人百種》之意，而稍稍擴充之，另編十折一本，或十二折一本之新劇，以備應付忙人之用。或即將古書舊戲，用長房妙手，縮而成之。但能沙汰得宜，一可當百，則寸金丈鐵，貴賤攸分，識者重其簡貴，未必不弃長取短，另開一種風氣，亦未可知也。此等傳奇，可以一席兩本，如佳客并坐，勢不低昂，皆當在命題之列者，則一後一先，皆可爲政，是一舉兩得之法也。有暇即當屬草，請以下里巴人，爲白雪陽春之倡。

變舊成新

演新劇如看時文，妙在聞所未聞，見所未見；演舊劇如看古董，妙在身生後世，眼對前朝。然而古董之可愛者，以其體質愈陳愈古，色相愈變愈奇。如銅器玉器之在當年，不過一刮磨光瑩之物耳，迨其歷年既久，刮磨者渾全無迹，光瑩者斑駁成文，是以人人相寶。非寶其本質如常，寶其能新而善變也。使其不异當年，猶然是一刮磨光瑩之物，則與今時旋造者無別，何事什佰其價而購之哉？舊劇之可珍，亦若是也。今之梨園，購得一新本，則因其新而愈新之，飾怪妝奇，不遺餘力；演到舊劇，則千人一轍，萬人一轍，不求稍异。觀者如聽蒙童背書，但賞其熟，求一換耳換目之字而不得，則是古董便爲古董，却未嘗易色生斑，依然是一刮磨光瑩之物，我何不取旋造者觀之，猶覺耳目一新，何必定爲村學究，聽蒙童背書之爲樂哉？然則生斑易色，其理甚難，當用何法以處此？曰：有道焉。仍其體質，變其豐姿。如同一美人，而稍更衣飾，便足令人改觀，不俟變形易貌，而始知別一神情也。體質維何？曲文與大段關目是已。豐姿維何？科諢與細微説白是已。曲文與大段關目不可改者，古人既費一片心血，自合常留天地之間，我與何仇，而必欲使之埋没？且時人是古非今，改之徒來訕笑；仍其大體，既慰作者之心，且杜時人之口。科諢與細微説白不可不變者，凡人作事，貴于見景生情，世道遷移，人心非舊，當日有當日之情態，今日有今日之情態，傳奇妙在入情，即使作者至今未死，亦當與世遷移，自囀其舌，必不爲膠柱鼓瑟之談，以拂聽者之耳。況古人脱稿之初，便覺其新，一經傳播，演過數番，即覺聽熟之言難于復聽，即在當年，亦未必不自厭其繁，而思陳言之務去也。我能易以新詞，透入世情三昧，雖觀舊劇，如閲新篇，豈非作者功臣？使得爲鷄皮三少之女，前魚不泣之男，地下有靈，方頌德歌功之不暇，而忍以矯製責之哉？但須點鐵成金，勿令畫虎類狗。又須擇其可增者增，當改者改，萬勿故作知音，强爲解事，令觀者當場噴飯，而群罪作俑之人，則湖上笠翁不任咎也。此言潤澤枯槁，變易陳腐之事。予嘗痛改《南西厢》，如《游殿》、《問齋》、《逾墻》、《驚夢》等科諢，及《玉簪·偷詞》、《幽閨·旅婚》諸賓白，付伶工搬演，以試舊新，業經詞人謬賞，不以點竄爲非矣。

尚有拾遺補缺之法，未語同人，兹請并終其説。舊本傳奇，每多缺略不全之事，刺謬難解之情。非前人故爲破綻，留話柄以貽後人，若唐詩所謂『欲得周郎顧，時時誤拂弦』；乃一時照管不到，致生漏孔，所謂『智人千慮，必有一失』。此等空隙，全靠後人泥補，不得聽其缺陷，而使千古無全文也。女媧氏煉石補天，天尚可補，況其他乎？但恐不得五色石耳。姑舉二事以概之。趙五娘于歸兩月，即别蔡邕，是一桃夭新婦。算至公姑已死，别墓尋夫之日，不及數年，是猶然一冶容誨淫之少婦也。身背琵琶，獨行千里，即能自保無他，能免當時物議乎？張大公重諾輕財，資其困乏，仁人也，義士也。試問衣食名節，二者孰重？衣食不斷則周之，名節所關則聽之，義士仁人，曾若是乎？此等缺陷，就詞人論之，幾與天傾西北、地陷東南無异矣，可少補天塞地之人乎？若欲于本傳之外，劈空添出一人送趙五娘入京，與之隨身作伴，妥則妥矣，猶覺傷筋動骨，太涉更張。不想本傳内現有一人，盡可用之而不用，竟似張大公止圖卸肩，不顧趙五娘之去後者。其人爲誰？着送錢米助喪之小二是也。《剪髮》白云：『你先回去，我少頃就着小二送來。』則是大公非無僕從之人，何以吝而不使？予爲略增數語，補此缺略，附刻于後，以政同心。此一事也。《明珠記》之《煎茶》，所用爲傳消遞息之人者，塞鴻是也。塞鴻一男子，何以得事嬪妃？使宫禁之内，可用男子煎茶，又得密談私語，則此事可爲，何事不可爲乎？此等破綻，婦人小兒皆能指出，而作者絶不經心，觀者亦聽其疏漏；然明眼人遇之，未嘗不啞然一笑，而作無是公看者也。若欲于本家之外，鑿空構一婦人，與無雙小姐從不謀面，而送進驛内煎茶，使之先通姓名，後説情事，便則便矣，猶覺生枝長節，難免贅瘤。不知眼前現有一婦，理合使之而不使，非特王仙客至愚，亦覺彼婦太忍。彼婦爲誰？無雙自幼跟隨之婢，仙客現在作妾之人，名爲采蘋是也。無論仙客覓人將意，計當出此，即就采蘋論之，豈有主人一别數年，無由把臂，今在咫尺，不圖一見，普天之下有若是之忍人乎？予亦爲正此迷謬，止换賓白，不易填詞，與《琵琶》改本并刊于後，以政同心。又一事也。其餘改本尚多，以篇帙浩繁，不能盡附。總之，凡予所改者，皆出萬不得已，眼看不過，耳聽不過，故爲鏟削不平，以歸至當，非勉强出頭，與前人爲難者比也。凡屬高明，自能諒其心曲。

插科打諢之語，若欲變舊爲新，其難易較此奚止百倍。無論劇劇可增，齣齣可改，即欲隔日一新，逾月一换，亦誠易事。可惜當世貴人，家蓄名優數輩，不得一詼諧弄筆之人，爲種詞林蘐草，使之刻刻忘憂。若天假笠翁以年，授以黄金一斗，使得自買歌童，自編詞曲，口授而身導之，則戲場關目，日日更新，氈上詼諧，時時變相。此種技藝，非特自能誇之，天下人亦共信之。然謀生不給，遑問其他？祇好作貧女縫衣，爲他人助嬌，看他人出閣而已矣。

附：

《琵琶記·尋夫》改本

〔胡搗練〕〔旦上〕辭别去，到荒丘，祇愁出路煞生受。畫取真容聊借手，逢人將此勉哀求。

鬼神之道，雖則難明；感應之理，未嘗不信。奴家昨日，在山上築墳，偶然力乏，假寐片時。忽然夢見當山土地，帶領着無數陰兵，前來助力。又親口囑付，着奴家改换衣裝，往京尋取夫婿。及至醒來，那墳臺果然築就。可見真有神明，不是空空一夢。祇得依了夢中之言，改换做道姑打扮。又編下一套凄凉北調，到途路之間，逢人彈唱，抄化些資糧餬口，也是一條生計。祇是一件：我自做媳婦以來，終日與公姑厮守，如今雖死，還有個墳塋可拜；一旦撇他而去，真個是舉目凄然。喜得奴家略曉丹青，祇得借紙筆傳神，權當個丁蘭刻木，背在肩上行走，祇當還與二親相傍一般。遇着小祥忌日，也好展開祭奠，不枉做媳婦的一點孝心。有理！有理！顏料紙張，俱已備下，祇是憑空摹擬，恐怕不肖神情，且待我想象起來。

〔三仙橋〕一從他每死後，要相逢，不能勾。除非夢裏，暫時略聚首。如今該下筆了。〔欲畫又止介〕苦要描，描不就。暗想象，教我未描先淚流。〔畫介〕描不出他苦心頭，描不出他飢症候。〔又想介〕描不出他望孩兒的睁睜兩眸。〔又畫介〕衹畫得他髮颼颼，和那衣衫敝垢。畫完了，待我細看一看。〔看介〕呀！象倒極象，衹是畫得太苦了些，全没些歡容笑口。呀！公婆，公婆，非是媳婦故意如此。休休，若畫做好容顔，須不是趙五娘的姑舅。

待我懸挂起來，燒些紙錢，奠些酒飯，然後帶出門去便了。〔挂介〕嗳！我那公公婆婆呵！媳婦衹爲往京尋取丈夫，撇你不下，故此圖畫儀容，以便隨身供養。你須是有靈有感，時刻在暗裏扶持。待媳婦早見你的孩兒，痛哭一場，説完了心事，然後趕到陰間，與你二人做伴便了。啊呀，我那公婆呵！〔哭介〕

〔前腔〕非是奴尋夫遠游，衹怕我公婆絶後。奴見夫便回，此行安敢久。路途中，奴怎走？望公婆，相保佑！拜完了，如今收拾起身。論起理來，該先别墳塋，然後去别張大公纔是。衹爲要托他照管墳塋，須是先别了他，然後同至墳前，把公婆的骸骨，交付與他便了。〔鎖門行介〕衹怕奴去後，冷清清，有誰來

祭掃？縱使遇春秋，一陌紙錢怎有？休休，你生是受凍餒的公婆，死做個絶祭祀的姑舅！

來此已是，大公在家麽？〔丑上〕收拾草鞋行遠路，安排包裹送嬌娘。呀！五娘子來了。老員外有請！〔末上〕衰柳寒蟬不可聞，金風敗葉正紛紛；長安古道休回首，西出陽關無故人。呀！五娘子，我正要過來送你，你却來了。〔旦〕因有遠行，特來拜别。大公請端坐，受奴家幾拜。〔末〕來到就是了，不勞拜罷。〔旦拜，末同拜介〕〔旦〕高厚恩難報，臨岐泪滿巾。〔末〕從今無别事，拭目待歸人。〔末起，旦不起介〕〔末〕五娘子請起。呀！五娘子，你爲何跪在地下不肯起來？〔旦〕奴家有兩件大事奉求，要大公親口許下，方敢起來。〔末〕孝婦所求，一定是綱常倫理之事，老夫一力擔當，快些請起！〔旦起介〕〔末〕叫小二看椅子過來，與五娘子坐了講話。〔旦〕告坐了。〔末〕五娘子，你方才説的，是那兩件事？

〔旦〕第一件，是怕奴家去後，公婆的墳塋没人照管，求大公不時看顧。每逢令節，代燒一陌紙錢。〔末〕這是我分内之事，自然照管，何須你囑付。第二件呢？〔旦〕第二件，因奴家是個少年女子，遠出尋夫，没人作伴，路上怕有嫌疑，求公公大發婆心，把小二借與奴家作伴，到京之日，即便遣人送還。這一件事，關係奴家的名節，斷求慨允。〔末〕五娘子，這件事情，比照管墳塋還大，莫説待你拜求，方纔肯許，不是個仗義之人；就是聽你講到此處，方纔思念起來，把小二送你，也就不成個張廣才了。我昨日思想，不但你隻身行走，路上嫌疑；就是到了京中，與你丈夫相見，他問你在途路之中如何宿歇，你把甚麼言語答應他？萬一男子漢的心腸多疑少信，將你埋葬公婆的大事且不提起，反把形迹二字與你講論起來，如何了得！這也還是小事。他三載不歸，未必不在京中别有所娶。我想那房家小，看見前妻走到，還要無中生有，别尋説話，離間你的夫妻，何况是遠遠尋夫，没人做伴？若把幾句惡言加你，豈不是有口難分？還有一説：你丈夫臨行之日，把家中事情拜托于我，我若容你獨自尋夫，有礙他終身名節，日後把甚麼顏面見他？就是死到九泉，也難與你公婆相會。這個主意，我先定下多時了，已曾分付小二，着他伴你同行，不勞分付，放心前去便了。〔旦起拜介〕這等多謝公公！奴家告别了。〔末〕且慢些，再請坐下。我且問你：你既要尋夫，那路上的盤費，已曾備下了麽？〔旦〕并不曾有。〔末〕既然没有，如何去得？〔旦指背上琵琶介〕這就是奴家的盤費。不瞞公公説，已曾編下一套凄凉北調，譜入絲弦，一路彈唱而行，討些錢米度日。〔丑〕這等説來，竟是叫化了。這樣生意，我做不慣。不要總承，快尋别個去罷！〔末〕我自有主意，不消多嘴！五娘子，你前日剪髮葬親，往街坊貨賣，倒不曾問得你賣了幾貫錢財，可勾用麽？〔旦〕并無人買，全虧大公周濟。〔末〕却又來！頭髮可以作髮，尚且賣不出錢財，何況是空空彈唱？萬一没人與錢，你還是去的好？轉來的好？流落在他鄉，不來不去的好？那些長途資斧，我也曾與你備下，不勞費心。也罷，你既費精神，編成一套詞曲，不可不使老朽聞之。你就唱來，待我與你發個利市。〔旦〕這等待奴家獻醜。若有不到之處，求大公改正一二。〔末〕你且唱來。〔旦理弦彈唱，末不住掩泪，丑不住哭介〕

〔北越調鬥鵪鶉〕静理冰弦，凝神息喘，待訴衷腸，將眉略展。怕的是聽者愁聽，聞聲去遠。雖不比杞梁妻，善哭天，也去那哭倒長城的孟姜不遠。

〔紫花兒序〕俺不是好雲游，閑離閨闥，也不是背人倫，强抱琵琶，都則爲遠尋夫，苦歷山川。説甚麽金蓮窄小，道路迍邅，鞋穿，便做到骨葬溝渠首向天，保得過面無慚腆。好追隨，地下姑嫜，得全名，死也無冤。

〔天净沙〕當初始配良緣，備饔飧，尚有餘錢。祇爲兒夫去遠，遇荒罹變，爲妻庸，禍及椿萱。

〔金蕉葉〕他望賑濟，心穿眼穿；俺遭搶奪，糧懸命懸。若不是遇高鄰，分糧助饘，怎能勾慰親心，將灰復燃？

〔小桃紅〕可憐他游絲一縷命空牽，要續愁無綫。俺也曾自饜糟糠備親膳，要救餘年，又誰料攀轅卧轍翻成勸？因來竈邊，窺奴私咽，一聲兒哭倒便歸泉。

〔調笑令〕可憐，葬無錢！虧的是一位恩人，竟做了兩次天。他助喪非强由情願。實指望吉回凶轉，因灾致祥無他變，又誰知，後運同前！

〔秃厮兒〕俺雖是厚面皮，無羞不腆，怎忍得累高鄰，鬻産輸田？祇得把香雲剪下自賣錢，到街坊，哭聲喧，誰憐？

〔聖藥王〕俺待要圖卸肩，赴九泉，怎忍得親骸朽露飽飛鳶？欲待把命苟延，較後先，算來無幸可徼天，哭倒在街前。

〔麻郎兒〕感義士施恩不倦，二天外，又復加天。則爲這好仗義的高鄰忒煞賢，越顯得受恩的淺深無辨。

〔麽篇〕徒跣，把羅裙自捻，裹黄泥，去築墳圈。感山靈，神通晝顯，又指去路，勸人赴遠。

〔絡絲娘〕因此上，顧不的鞋弓襪淺，講不起拋頭露面。手撥琵琶，原非自遣，要訴出衷腸一片。

〔東原樂〕暫把喪衣覆，喬將道服穿。爲缺資財致使得身容變。休怪俺孝婦啼痕學杜鵑，衹爲多愁怨，漬染得縗麻如茜。

〔拙魯速〕可憐俺日不停，夜不眠，飢不餐，冷不燃。當日呵，辨不出桃花人面，分不開藕瓣金蓮；到如今藕絲花片，落在誰邊？自對菱花，錯認椿萱，止爲憂煎。纔信道家寬出少年。

〔尾〕千愁萬緒提難遍，衹好縮緜中一綫。聽不出眼泪的休解囊，但有酸鼻的仁人，請將鈔袋兒展。

〔末〕做也做得好，彈也彈得好，唱也唱得好，可稱三絶。〔出銀介〕這一封銀子，就當潤喉潤筆之資，你請收下。〔旦謝介〕〔末〕小二過來。他方纔彈唱的時節，我便爲他聲音凄楚，情節可憐，故此掉泪。你知道些甚麽，也號號咷咷，哭個不了？〔丑〕不知甚麽原故，聽到其間，就不知不覺哭將起來，連我也不明白。〔末〕這等我且問你：方纔送他的銀子，萬一途中不勾，依舊要叫化起來，你還是情願不情願？〔丑〕情願！情願！〔末〕爲甚麽以前不情願，如今忽然情願起來？〔丑想介〕正是，爲甚麽原故，忽然改變起來？連我也不明白。

〔末〕好，這叫做：孝心所感，鐵人流泪；高僧説法，頑石點頭。五娘子，你一片孝心，就從今日效驗起了，此去定然遂意。我且問你：你公婆的墳塋，曾去拜别了麽？〔旦〕還不曾去。要屈太公同行，好對着公婆當面拜托。〔末〕一發見得到！就請同行。叫小二，與五娘子背了琵琶。〔丑〕自然。莫説琵琶，就是要帶馬桶，我也情願挑着走了。〔末〕五娘子，我還有幾句藥石之言，要分付你，和你一面行走，一面講罷。〔旦〕既有法言，便求賜教。〔行介〕

〔鬥黑蟵〕〔末〕伊夫婿，多應是貴官顯爵。伊家去，須當審個好惡。祇怕你這般喬打扮，他怎知覺？一貴一貧，怕他將錯就錯。〔合〕孤墳寂寞，路途滋味惡。兩處堪悲，萬愁怎摸！

〔末〕已到墳前了。蔡大哥！蔡大嫂！你這個孝順媳婦，待你二人，可謂『生事以禮，死葬以禮，祭之以禮』，無一事不全的了！如今遠出尋夫，特來拜别，將墳墓交托于我。從今以後，我就當你媳婦，逢時化紙，遇節燒錢，你不消慮得。祇是保佑他一路平安，早與丈夫相會。他一生行孝的事情，祇有你夫妻兩口，與我張廣才三人知道。你夫妻死了，止剩得我一個在此，萬一不能勾見他，這孝婦一片苦心，誰人替他表白？趁我張廣才未死，速速保佑他回來。待我見他一面，把你媳婦的好處，細細對他講一遍，我張廣才這個老頭兒，就死也瞑目了。唉，我那老友呵！〔旦〕我那公婆呵！〔同放聲大哭，丑亦哭介〕〔末〕五娘子！

〔憶多嬌〕我承委托當領諾。這孤墳，我自看守，決不爽約。但願你途中身安樂。〔合〕舉目蕭索，滿眼盈盈泪落。

〔旦〕公婆，你媳婦如今去了！大公，奴家去了！〔末〕五娘子，你途間保重，早去早回！小二，你好生伏侍五娘子，不要叫他費心。〔丑〕曉得！

〔旦〕爲尋夫婿别孤墳，〔末〕祇怕兒夫不認真。

〔合〕流泪眼觀流泪眼，斷腸人送斷腸人。

〔旦掩泪同丑先下〕〔末目送，作哽咽不能出聲介〕嗳，我，我、我明日死了，那有這等一個孝順媳婦！可憐！可憐！〔掩泪下〕

《明珠記·煎茶》改本

第一折

〔卜算子〕〔生冠帶上〕未遇費長房，已縮相思地。咫尺有佳音，可惜人難寄。

下官王仙客，叨授富平縣尹。又爲長樂驛缺了驛官，上司命我帶管三月。近日朝廷差幾員内官，帶領三十名宫女，去備皇陵打掃之用，今日申牌時分，已到驛中。我想宫女三十名，焉知無雙小姐不在其内？要托人探個消息，百計不能。喜得裏面要取人伏侍，我把塞鴻扮做煎茶童子，送進去承直，萬一遇見小

姐，也好傳個信兒。塞鴻那裏？〔丑上〕藍橋今夜好風光，天上群仙降下方。祇恐雲英難見面，裴航空自搗玄霜。塞鴻伺候。〔生〕今日送你進去煎茶，專爲打探無雙小姐的消息，你須要用心體訪。〔丑〕小人理會得。〔生〕隨着我來。〔行介〕你若見了小姐呵：

〔玉交枝〕道我因他憔悴，雖則是斷機緣，心兒未灰，痴情還想成婚配。便今世，不共鴛幃，私心願將來世期，倒不如將生换死求連理。〔合〕料伊行，冰心未移，料伊行，柔腸更痴。

説話之間，已到館驛前了。〔丑〕管門的公公在麽？〔净上〕走馬近來辭帝闕，奉差前去掃皇陵。甚麽人？到此何幹？〔生〕帶管驛事富平縣尹，送煎茶人役伺候。〔净〕着他進來。〔丑進見介〕〔净看怒介〕這是個男子，你爲甚麽送他進來呢？〔生〕是個幼年童子。〔净〕看他這個模樣，也不是個幼年童子了。好不

不通道理的縣官！就是上司官員，帶着家眷從此經過，也沒有取男子服事之理，何況是皇宮內院的嬪妃，肯容男子見面？叫孩子們，快打出去，着他換婦人進來。這樣不通道理。還叫他做官！〔罵下〕〔生〕這怎麼處？

〔前腔〕精神徒費。不收留翻加峻威，道是男兒怎入裙釵隊。嘆賓鴻，有翼難飛！〔丑〕老爺，你偌大一位縣官，怕差遣婦人不動？撥幾個民間婦女進去就是了，愁他怎的！〔生〕塞鴻，你那裏知道。民間婦人盡有，祇是我做官的人，怎好把心事托他。幽情怎教民婦知，說來徒使旁人議。〔合前〕且自回衙，少時再作道理。正是：

不如意事常八九，可與人言無二三。

第二折

〔破陣子〕〔小旦上〕故主恩情難背，思之夜夜魂飛。

奴家采蘋，自從拋離故主，寄養侯門，王將軍待若親生，王解元納爲側室，唱隨之禮不缺，伉儷之情頗諧，祇是思憶舊恩，放心不下。聞得朝廷撥出宮女三十名，去備皇陵打掃，如今現在驛中。萬一小姐也在數內，我和他咫尺之間，不能見面，令人何以爲情。仔細想來，好凄慘人也！〔泪介〕

〔黃鶯兒〕從小便相依。弃中途，履禍危，經年沒個音書寄。到如今呵，又不是他東我西，山遥路迷。宮門一入深無底，止不過隔層幃。身兒不近，怎免泪珠垂。

〔生上〕枉作千般計，空回九轉腸；姻緣生割斷，最狠是穹蒼。〔見介〕〔小旦〕相公回來了。你着塞鴻去探消息，端的何如？爲甚麼面帶愁容，不言不語？

〔生〕不要說起！那守門的太監，不收男子，祇要婦人。婦人盡有，都是民間之女，怎好托他代傳心事，豈不悶殺我也！

〔前腔〕無計可施爲，眼巴巴看落暉。祇今宵一過，便無機會。娘子，我便爲此煩惱。你爲何也帶愁容？看你無端皺眉，無因泪垂，莫不是愁他奪取中宫位？那裏知道這婚姻事呵！絶端倪。便圖來世，那好事也難期。

〔小旦〕奴家不爲别事，祇因小姐在咫尺之間，不能見面，故主之情，難于割捨，所以在此傷心。〔生〕原來如此，這也是人之常情。〔小旦〕相公，你要傳消遞息，既苦無人；我要見面談心，又愁無計。我如今有個兩全之法，和你商量。〔生〕甚麽兩全之法？快些講來。〔小旦〕他要取婦人承值，何不把奴家送去？祇説民間之婦。若還見了小姐，婦人與婦人講話，没有甚麽嫌疑，豈不比塞鴻更强十倍？〔生〕如此甚妙！祇是把個官人娘子扮作民間之婦，未免屈了你些。〔小旦〕我原以侍妾起家，何屈之有。〔生〕這等分付門上，唤一乘小轎進來，傍晚出去，黎明進來便了。

羡卿多智更多情，一計能收兩泪零。

〔小旦〕鷄犬尚能懷故主，爲人豈可負生成。

第三折（此折改白不改曲。曲照原本，不更一字。）

〔長相思〕〔旦上〕念奴嬌，歸國遥，爲憶王孫心轉焦，楚江秋色饒。月兒高，燭影摇，爲憶秦娥夢轉迢。苦呵！漢宫春信消。

街鼓鼕鼕動戍樓，倚床無寐數更籌；可憐今夜中庭月，一樣清光兩地愁。奴家自到驛内，看看天色晚來。〔内打二鼓介〕呀，譙樓上面，已打二鼓了。獨眠孤館，展轉凄其，待與姊妹們閑話消遣，怎奈他們心上無事，一個個都去睡了。教奴家獨守殘燈，怎生睡得去！

〔二郎神〕良宵杳，爲愁多，睡來還覺。手攬寒衾風料峭。也罷，待我剔起銀燈，到階除下閑步一回，以消長夜。徘徊燈側，下階閑步無聊。祇見慘淡中庭新月小。畫屏間，餘香猶裊。漏聲高，正三更，驛庭人靜寥寥。那簾兒外面，就是煎茶之所，不免去就着茶爐，飲一杯苦茗則個。正是：有水難澆心火熱，無風可解泪冰寒。〔暫下〕〔小旦持扇上〕已入重圍裏，還愁見面遥；故人相對處，打點泪痕抛。奴家自進驛來，辦眼偷瞧，不見我家小姐。〔内作長嘆介〕〔小旦〕呀，如今夜深人静，爲何有沉吟嘆息之聲？不免揭起簾兒，覷他一眼。

〔前腔〕偷瞧，把朱簾輕揭，金鈴聲小。呀！那階除之下，緩步行來的，好似我家小姐。欲待唤他，又恐不是。我且祇當不知，坐在這裏煎茶，看他出來有何話説。〔旦上〕看，一縷茶烟香繚繞。呀！那個煎茶女子，好生面善。青衣執爨，分明舊識風標。悄語低聲問分曉。那煎茶女子，快取茶來！〔小旦〕娘娘請坐，待我取來。〔送茶，各看，背驚介〕〔旦〕呀！分明是采蘋的模樣，他爲何來在這裏？〔小旦〕竟是我家小姐！待他唤我，我纔好認他。〔旦〕那女子走近前來！你莫非就是采蘋麽？〔小旦〕小姐在上，妾身就是。〔跪介〕〔旦抱哭介〕〔合〕天那！何幸得萍水相遭！〔旦〕你爲何來在這裏？〔小旦〕説起話長。今夜之來，是采蘋一點孝心，費盡機謀，特地來尋故主。請問小姐，老夫人好麽？〔旦〕還喜得康健。采蘋，你曉得王官人的消息麽？郎年少，自分離，孤身何處飄飄？

〔小旦〕他自分散之後，賊平到京。正要來圖婚配，不想我家遭此横禍，他就落魄天涯。近得金吾將軍題請得官，現在富平縣尹，權知此驛。

〔囀林鶯〕他宦中薄禄權倚靠，知他未遂雲霄。〔旦〕這等説來，他也就在此處了。既然如此，你的近况何如？隨着誰人？作何勾當？〔小旦〕采蘋自别夫人小姐，蒙金吾將軍收爲義女，就嫁與王官人，目今現在一處。〔旦〕哦，你和他現在一處麽？〔小旦〕是。〔旦作醋容介〕這等講來，我倒不如你了！鶻鶵已占枝頭早，孤鸞拘鎖，何日得歸巢？〔小旦〕小姐不要多心。奴家雖嫁王郎，議定權爲側室，虛却正夫人的坐位，還待着小姐哩！〔旦〕這等纔是。我且問你。檀郎安否？怕相思，瘦損潘安貌。〔小旦〕他雖受折磨，却還志氣不衰，容顏如舊。志氣好，千般折挫，風月未全消。

他一片苦情，恐怕小姐不知，現付明珠一顆，是小姐贈與他的，他時時藏在身旁，不敢遺失。〔付珠介〕

〔前腔〕〔旦〕雙珠依舊成對好，我兩人還是蓬飄。采蘋，我今夜要約他一會，你可喚得進來麼？〔小旦〕這個使不得。老公公在外監守，又有軍士巡更，那裏喚得進來！〔旦〕莫非是你……〔小旦〕是我怎麽樣？哦，采蘋知道了，莫非疑我吃醋麽？若有此心，天不覆，地不載！小姐，利害所關，他委實進來不得。〔旦泪介〕噯！眼前欲見無由到，驛庭咫尺，翻做楚天遥。〔小旦〕楚天猶小，着不得一腔煩惱。小姐有何心事，祇消對采蘋説知，待采蘋轉對他説，也與見面一般。〔旦〕枉心焦，我芳情自解，怎説與伊曹！

待我修書一封，與你帶去便了。〔小旦〕説得有理，快寫起來，一霎時天就明了。〔旦寫介〕

〔啄木公子〕舒殘繭，展兔毫，蚊脚蠅頭隨意掃。祇怕我有萬恨千愁，假饒會面難消。我有滿腔愁怨，寫向鸞箋怎得了？總有丹青别樣巧，畢竟衷腸事怎描？祇落得泪痕交。

〔前腔〕書纔寫，燈再挑，錦袋重封花押巧。書寫完了，采蘋，你與我傳示他，好自支持，休爲我長皺眉梢。〔小旦〕小姐，你與他的姻緣，畢竟如何？可有出宫相會的日子？〔旦〕爲説漢宫人未老，怨粉愁香憔悴倒；寂寞園陵歲月遥，雲雨隔藍橋。

明珠封在書中，叫他依舊收好。〔小旦〕天色已明，采蘋出去了。小姐，你千萬保重！若有便信，替我致意老夫人。〔各哭介〕〔小旦〕小姐保重，采蘋去了。〔掩泪下〕〔旦〕呀，采蘋，你竟去了！〔頓足哭介〕

〔哭相思尾〕從此兩下分離音信杳，無由再見親人了。

〔哭倒介〕〔末上〕自不整衣毛，何須夜夜號。咱家一路辛苦，正要睡覺，不知那個宮人啾啾唧唧，一夜哭到天明，不免到裏面去看來。呀！爲何哭倒在地下？〔看介〕原來是劉宮人。劉宮人起來！〔摸介〕呀，不好了！渾身冰冷，祗有心口還熱。列位宮人快來！〔四宮女上〕并無奇禍至，何事疾聲呼？呀！這是劉家姐姐，爲何倒在地下？〔末〕列位宮人看好，待我去取薑湯上來。〔下〕〔宮女〕劉家姐姐，快些蘇醒！〔末取薑湯上〕薑湯在此，快灌下去。〔灌醒介〕〔宮女〕劉家姐姐，你爲甚麽事情，哭得這般狼狽？

〔黄鶯兒〕〔旦〕祗爲連日受劬勞，怯風霜，心膽摇，昨宵不睡挨到曉。

〔末〕爲甚麽不睡呢？〔旦〕思家路遥，思親壽高，驀然愁絶昏沉倒。謝多嬌，相將救取，免死向荒郊。

〔末〕好不小心！萬一有些差池，都是咱家的幹係哩！

〔前腔〕〔衆〕人世水中泡。受皇恩，福怎消，何須苦憶家鄉好。慈幃暫抛，相逢不遥，寬心莫把閑愁惱。〔内〕麵湯熱了，請列位宫人梳妝上轎。〔合〕曙光高，馬嘶人起，梳洗上星軺。

〔宫女〕姊妹人人笑語闐，娘行何事獨憂煎？

〔旦〕祗因命帶凄惶煞，心上無愁也泪漣。

授曲第三

聲音之道，幽渺難知。予作一生柳七，交無數周郎，雖未能如曲子相公身都通顯，然論其生平製作，塞滿人間，亦類此君之不可收拾。然究竟于聲音之道未嘗盡解，所能解者，不過詞學之章句，音理之皮毛，比之觀場矮人，略高寸許，人贊美而我先之，我憎醜而人和之，舉世不察，遂群然許爲知音。噫，音豈易知者哉？人問：既不知音，何以製曲？予曰：釀酒之家，不必盡知酒味，然秫多水少則醇醲，麯好蘗精則香冽，此理則易諳也；此理既諳，則杜康不難爲矣。造弓造矢之人，未必盡嫻決拾，然曲而勁者利于矢，直而鋭者宜于鵠，此道則易明也；既明此道，即世爲弓人矢人可矣。雖然，山民善跋，水民善涉，術疏則巧者亦拙，業久則粗者亦精；填過數十種新詞，悉付優人，聽其歌演，近朱者赤，近墨者黑，況爲朱墨所從出者乎？粗者自然拂耳，精者自能娛神，是其中菽麥亦稍辨矣。語云：『耕當問奴，織當訪婢。』予雖不敏，亦曲中之老奴，歌中之黠婢也。請述所知，以備裁擇。

解明曲意

唱曲宜有曲情，曲情者，曲中之情節也。解明情節，知其意之所在，則唱出口時，儼然此種神情，問者是問，答者是答，悲者黯然魂消而不致反有喜色，歡者怡然自得而不見稍有瘁容，且其聲音齒頰之間，各種俱有分別，此所謂曲情是也。吾觀今世學曲者，始則誦讀，繼則歌咏，歌咏既成而事畢矣。至于講解二字，非特廢而不行，亦且從無此例。有終日唱此曲，終年唱此曲，甚至一生唱此曲，而不知此曲所言何事，所指何人，口唱而心不唱，口中有曲而面上身上無曲，此所謂無情之曲，與蒙童背書，同一勉强而非自然者也。雖腔板極正，喉舌齒牙極清，終是第二、第三等詞曲，非登峰造極之技也。欲唱好曲者，必先求明師講明曲義。師或不解，不妨轉詢文人，得其義而後唱。唱時以精神貫串其中，務求酷肖。若是，則同一唱也，同一曲也，其轉腔換字之間，別有一種聲口，舉目回頭之際，另是一副神情，較之時優，自然迥別。變死音爲活曲，化歌者爲文人，祇在『能解』二字，解之時義大矣哉！

調熟字音

調平仄，別陰陽，學歌之首務也。然世上歌童解此二事者，百不得一。不過口傳心授，依樣葫蘆，求其師不甚謬，則習而不察，亦可以混過一生。獨有必不可少之二事，較陰陽平仄爲稍難，又不得因其難而忽視者，則爲『出口』、『收音』二訣竅。世間有一字即有一字之頭，所謂出口者是也；有一字即有一字之尾，所謂收音者是也。尾後又有餘音，收煞此字，方能了局。譬如吹簫、姓蕭諸『簫』字，本音爲簫，其出口之字頭與收音之字尾，并不是『簫』。若出口作『簫』，收音作『簫』，其中間一段正音并不是『簫』，而反爲別一字之音矣。且出口作『簫』，其音一泄而盡，曲之緩者，如何接得下板？故必有一字爲之頭，以備出口之用，有一字爲之尾，以備收音之用，又有一字爲餘音，以備煞板之用。字頭爲何？『西』字是也。字尾爲何？『夭』字是也。尾後餘音爲何？『烏』字是也。字字皆然，不能枚紀。《弦索辨訛》等書載此頗詳，閱之自得。要知此等字頭、字尾及餘音，乃天造地設，自然而然，非後人扭捏而成者也，但觀切字之法，即知之矣。《篇海》、《字彙》等書，逐字載有注脚，以兩字切成一字。其兩字者，上一字即爲字頭，出口者也；下一字即爲字尾，收音者也；但不及餘音之一字耳。無此上下二字，切不出中間一字，其爲天造地設可知。此理不明，如何唱曲？出口一錯，即差謬到底，唱此字而訛爲彼字，可使知音者聽乎？故教曲必先審音。即使不能盡解，亦須講明此義，使知字有頭、尾以及餘音，則不敢輕易開口，每字必詢，久之自能慣熟。『曲有誤，周郎顧。』苟明此道，即遇最刻之周郎，亦不能拂情而左顧矣。

字頭、字尾及餘音，皆爲慢曲而設，一字一板或一字數板者，皆不可無。其快板曲，止有正音，不及頭尾。

緩音長曲之字，若無頭尾，非止不合韵，唱者亦大費精神，但看青衿贊禮之法，即知之矣。『拜』、『興』二字皆屬長音。『拜』字出口以至收音，必俟其人揖畢而跪，跪畢而拜，爲時甚久。若止唱一『拜』字到底，則其音一泄而盡，不當歇而不得不歇，失儐相之體矣。得其竅者，以『不』『愛』二字代之。『不』乃『拜』之頭，『愛』乃『拜』之尾，中間恰好是一『拜』字。以一字而延數晷，則氣力不足；分爲三字，即有餘矣。『興』字亦然，以『希』『因』二字代之。贊禮且然，况于唱曲？婉譬曲喻，以至于此，總出一片苦心。審樂諸公，定須憐我。

字頭、字尾及餘音，皆須隱而不現，使聽者聞之，但有其音，并無其字，始稱善用頭尾者；一有字迹，則沾泥帶水，有不如無矣。

字忌模糊

學唱之人，勿論巧拙，衹看有口無口；聽曲之人，慢講精粗，先問有字無字。字從口出，有字即有口。如出口不分明，有字若無字，是説話有口，唱曲無口，與啞人何异哉？啞人亦能唱曲，聽其呼號之聲即可見矣。常有唱完一曲，聽者止聞其聲，辨不出一字者，令人悶殺。此非唱曲之料，選材者任其咎，非本優之罪也。舌本生成，似難强造，然于開口學曲之初，先能净其齒頰，使出口之際，字字分明，然後使工腔板，此回天大力，無异點鐵成金，然百中遇一，不能多也。

曲嚴分合

同場之曲，定宜同場，獨唱之曲，還須獨唱，詞意分明，不可犯也。常有數人登場，每人一隻之曲，而衆口同聲以出之者，在授曲之人，原有淺深二意：淺者慮其冷靜，故以發越見長；深者示不參差，欲以翕如見好。嘗見《琵琶·賞月》一折，自『長空萬里』以至『幾處寒衣織未成』，俱作合唱之曲，諦聽其聲，如出一口，無高低斷續之痕者，雖曰良工心苦，然作者深心，于茲埋沒。此折之妙，全在共對月光，各談心事，曲既分唱，身段即可分做，是清淡之内原有波瀾。若混作同場，則無所見其情，亦無可施其態矣。惟『峭寒生』二曲可以同唱，旨四曲定該分唱，况有〔合前〕數句振起神情，原不慮其太冷。他劇類此者甚多，舉一可以概百。戲場之曲，雖屬一人而可以同唱者，惟行路出師等劇，不問詞理异同，皆可使衆聲合一。場面似閙，曲聲亦宜閙，静之則相反矣。

鑼鼓忌雜

戲場鑼鼓，筋節所關，當敲不敲，不當敲而敲，與宜重而輕，宜輕反重者，均足令戲文减價。此中亦具至理，非老于優孟者不知。最忌在要緊關頭，忽然打斷。如說白未了之際，曲調初起之時，横敲亂打，蓋却聲音，使聽白者少聽數句，以致前後情事不連，審音者未聞起調，不知以後所唱何曲。打斷曲文，罪猶可恕，抹殺賓白，情理難容。予觀場每見此等，故爲揭出。又有一齣戲文將了，止餘數句賓白未完，而此未完之數句，又係關鍵所在，乃戲房鑼鼓早已催促收場，使說與不說同者，殊可痛恨。故疾徐輕重之間，不可不急講也。場上之人將要說白，見鑼鼓未歇，宜少停以待之，不則過難專委，曲白鑼鼓，均分其咎矣。

吹合宜低

絲、竹、肉三音，向皆孤行獨立，未有合用之者，合之自近年始。三籟齊鳴，天人合一，亦金聲玉振之遺意也，未嘗不佳；但須以肉爲主，而絲竹副之，使不出自然者，亦漸近自然，始有主行客隨之妙。邇來戲房吹合之聲，皆高于場上之曲，反以絲竹爲主，而曲聲和之，是座客非爲聽歌而來，乃聽鼓樂而至矣。從來名優教曲，總使聲與樂齊，簫笛高一字，曲亦高一字，簫笛低一字，曲亦低一字。然相同之中，即有高低輕重之別，以其教曲之初，即以簫笛代口，引之使唱，原係聲隨簫笛，非以簫笛隨聲，習久成性，一到場上，不知不覺而以曲隨簫笛矣。正之當用何法？曰：家常理曲，不用吹合，止于場上用之，則有吹合亦唱，無吹合亦唱，不靠吹合爲主。譬之小兒學行，終日倚墻靠壁，捨此不能舉步，一旦去其墻壁，偏使獨行，行過一次兩次，則雖見墻壁而不靠矣。以予見論之，和簫和笛之時，當比曲低一字，曲聲高于吹合，則絲竹之聲亦變爲肉，尋其附和之痕而不得矣。正音之法，有過此者乎？然此法不宜概行，當視唱曲之人之本領。如一班之中，有一二喉音最亮者，以此法行之，其餘中人以下之材，俱照常格。倘不分高下，一例舉行，則良法不終，而怪予立言之誤矣。

吹合之聲，場上可少，教曲學唱之時，必不可少，以其能代師口，而司熔鑄變化之權也。何則？不用簫笛，止憑口授，則師唱一遍，徒亦唱一遍，師住口而徒亦住口，聰慧者數遍即熟，資質稍鈍者，非數十百遍不能，以師徒之間無一轉相授之人也。自有此物，衹須師教數遍，齒牙稍利，即用簫笛引之。隨簫隨笛之際，若曰無師，則輕重疾徐之間，原有法脉準繩，引人歸于勝地；若曰有師，則師口并無一字，已將此曲交付其徒。先則人隨簫笛，後則簫笛隨人，是金蟬脱殻之法也。『庾公之斯，學射于尹公之他；尹公之他，學射于我。』簫笛二物，即曲中之尹公他也。但庾公之斯與子濯孺子，昔未見面，而今同在一堂耳。若是，則吹合之力詎可少哉？予恐此書一出，好事者過聽予言，謬視簫笛爲可弃，故復補論及此。

教白第四

教習歌舞之家，演習聲容之輩，咸謂唱曲難，説白易。賓白熟念即是，曲文念熟而後唱，唱必數十遍而始熟，是唱曲與説白之工，難易判如霄壤。時論皆然，予獨怪其非是。唱曲難而易，説白易而難，知其難者始易，視爲易者必難。蓋詞曲中之高低抑揚，緩急頓挫，皆有一定不移之格，譜載分明，師傳嚴切，習之既慣，自然不出範圍。至賓白中之高低抑揚，緩急頓挫，則無腔板可按、譜籍可查，止靠曲師口授；而曲師入門之

初，亦係暗中摸索，彼既無傳于人，何從轉授于我？訛以傳訛，此説白之理，日晦一日而人不知。人既不知，無怪乎念熟即以爲是，而且以爲易也。吾觀梨園之中，善唱曲者，十中必有二三；工説白者，百中僅可一二。此一二人之工説白，若非本人自通文理，則其所傳之師，乃一讀書明理之人也。故曲師不可不擇。教者通文識字，則學者之受益，東君之省力，非止一端。苟得其人，必破優伶之格以待之，不則鶴困鷄群，與儕衆無异，孰肯抑而就之乎？然于此中索全人，頗不易得。不如仍苦立言者，再費幾升心血，創爲成格以示人。自製曲選詞，以至登場演習，無一不作功臣，庶于爲人爲徹之義，無少缺陷。雖然，成格即設，亦止可爲通文達理者道，不識字者聞之，未有不噴飯胡盧，而怪迂人之多事者也。

高低抑揚

賓白雖係常談，其中悉具至理，請以尋常講話喻之。明理人講話，一句可當十句，不明理人講話，十句抵不過一句，以其不中肯綮也。賓白雖係編就之言，說之不得法，其不中肯綮等也。猶之倩人傳語，教之使說，亦與念白相同，善傳者以之成事，不善傳者以之僨事，即此理也。此理甚難亦甚易，得其孔竅則易，不得孔竅則難。此等孔竅，天下人不知，予獨知之。天下人即能知之，不能言之，而予復能言之。請揭出以示歌者。白有高低抑揚，何者當高而揚？何者當低而抑？曰：若唱曲然。曲文之中，有正字、有襯字。每遇正字，必聲高而氣長，若遇襯字，則聲低氣短而疾忙帶過。此分別主客之法也。說白之中，亦有正字，亦有襯字，其理同，則其法亦同。一段有一段之主客，一句有一句之主客，主高而揚，客低而抑，此至當不易之理，即最簡極便之法也。凡人說話，其理亦然。譬如呼人取茶取酒，其聲云：『取茶來！』『取酒來！』此二句既爲茶酒而發，則『茶』『酒』二字爲正字，其聲必高而長，『取』字『來』字爲襯字，其音必低而短。再取舊曲中賓白一段論之。《琵琶·分別》白云：『雲情雨意，雖可拋兩月之夫妻；雪鬢霜鬟，竟不念八旬之父母！功名之念一起，甘旨之心頓忘，是何道理？』首四句之中，前二句是客，宜略輕而稍快，後二句是主，宜略重而稍遲。『功名』、『甘旨』二句亦然，此句中之主客也。『雖可拋』、『竟不念』六個字，較之『兩月夫妻』、『八旬父母』雖非襯字，却與襯字相同，其爲輕快，又當稍別。至于『夫妻』、『父母』之上二『之』字，又爲襯中之襯，其爲輕快，更宜倍之。是白皆然，此字中之主客也。常見不解事梨園，每于四六句中之『之』字，與上下正文同其輕重疾徐，是謂菽麥不辨，尚可謂之能說白乎？此等皆言賓白，蓋場上所說之話也。至于上場詩，定場白，以及長篇大幅叙事之文，定宜高低相錯，緩急得宜，切勿作一片高聲，或一派細語，俗言『水平調』是也。上場詩四句之中，三句皆高而緩，一句宜低而快。低而快者，大率宜在第三句，至第四句之高而緩，較首二句更宜倍之。如《浣紗記》定場詩云：『少小豪雄俠氣聞，飄零仗劍學從軍。何年事了拂衣去？歸卧荆南夢澤雲。』『少小』二句宜高而緩，不待言矣。『何年』一句必須輕輕帶過，若與前二句相同，則煞尾一句不求低而自低矣。末句一低，則懈而無勢，况其下接着通名道姓之語。如『下官姓范名蠡，字少伯』，『下官』二字例應稍低，若末句低而接者又低，則神氣索然不振矣，故第三句之稍低而快，勢有不得不然者。此理此法，誰能窮究至此？然不如此，則是尋常應付之戲，非孤標特出之戲也。高低抑揚之法，盡乎此矣。

優師既明此理，則授徒之際，又有一簡便可行之法，索性取而予之：但于點脚本時，將宜高宜長之字用朱筆圈之，凡類襯字者不圈。至于襯中之襯，與當急急趕下、斷斷不宜沾滯者，亦用朱筆抹以細紋，如流水狀，使一一皆能識認。則于念劇之初，便有高低抑揚，不俟登場摹擬。如此教曲，有不妙絶天下，而使百千萬億之人贊美者，吾不信也。

緩急頓挫

緩急頓挫之法，較之高低抑揚，其理愈精，非數言可了。然了之必須數言，辯者愈繁，則聽者愈惑，終身不能解矣。優師點脚本授歌童，不過一句一點，求其點不刺謬，一句還一句，不致斷者聯而聯者斷，亦云幸矣，尚能詢及其他？即以脚本授文人，倩其畫文斷句，亦不過每句一點，無他法也。而不知場上說白，盡有當斷處不斷，反至不當斷處而忽斷；

當聯處不聯，忽至不當聯處而反聯者。此之謂緩急頓挫。此中微渺，但可意會，不可言傳；但能口授，不能以筆舌喻者。不能言而强之使言，祇有一法：大約兩句三句而止言一事者，當一氣趕下，中間斷句處勿太遲緩；或一句止言一事，而下句又言别事，或同一事而另分一意者，則當稍斷，不可竟連下句。是亦簡便可行之法也。此言其粗，非論其精；此言其略，未及其詳。精詳之理，則終不可言也。

當斷當聯之處，亦照前法，分别于脚本之中。當斷處用朱筆一畫，使至此稍頓，餘俱連讀，則無緩急相左之患矣。

婦人之態，不可明言，賓白中之緩急頓挫，亦不可明言，是二事一致。輕盈裊娜，婦人身上之態也；緩急頓挫，優人口中之態也。予欲使優人之口，變爲美人之身，故爲講究至此。欲爲戲場尤物者，請從事予言，不則仍其故步。

脱套第五

戲場惡套，情事多端，不能枚紀。以極鄙極俗之關目，一人作之，千萬人效之，以致一定不移，守爲成格，殊可怪也。西子捧心，尚不可效，况效東施之顰乎？且戲場關目，全在出奇變相，令人不能懸擬。若人人如是，事事皆然，則彼未演出而我先知之，憂者不覺其可憂，苦者不覺其爲苦，即能令人發笑，亦笑其雷同他劇，不出範圍，非有新奇莫測之可喜也。掃除惡習，拔去眼釘，亦高人造福之一事耳。

衣冠惡習

記予幼時觀場，凡遇秀才趕考及謁見當塗貴人，所衣之服，皆青素圓領，未有着藍衫者，三十年來始見此服。近則藍衫與青衫并用，即以之别君子小人。凡以正生、小生及外末脚色而爲君子者，照舊衣青圓領，惟以净丑脚色而爲小人者，則着藍衫。此例始于何人，殊不可解。夫青衿，朝廷之名器也。以賢愚而論，則爲聖人之徒者始得衣之；以貴賤而論，則備縉紳之選者始得衣之。名宦大賢盡于此出，何所見而爲小人之服，必使净丑衣之？此戲場惡習所當首革者也。或仍照舊例，止用青衫而不設藍衫。若照新例，則君子小人互用，萬勿獨歸花面，而令士子蒙羞也。

近來歌舞之衣，可謂窮奢極侈。富貴娱情之物，不得不然，似難責以儉樸。但有不可解者：婦人之服，貴在輕柔，而近日舞衣，其堅硬有如盔甲。雲肩大而且厚，面夾兩層之外，又以銷金錦緞圍之。其下體前後二幅，名曰『遮羞』者，必以硬布裱骨而爲之，此戰場所用之物，名爲『紙甲』者是也，歌臺舞榭之上，胡爲乎來哉？易以輕軟之衣，使得隨身環繞，似不容已。至于衣上所綉之物，止宜兩種，勿及其他。上體鳳鳥，下體雲霞，此爲定制。蓋『霓裳羽衣』四字，業有成憲，非若點綴他衣，可以渾施色相者也。予非能創新，但能復古。

方巾與有帶飄巾，同爲儒者之服。飄巾儒雅風流，方巾老成持重，以之分别老少，可稱得宜。近日梨園，每遇窮愁患難之士，即戴方巾，不知何所取義？至紗帽巾之有飄帶者，制原不佳，戴于粗豪公子之首，果覺相稱。至于軟翅紗帽，極美觀瞻，曩時《張生逾墻》等劇往往用之，近皆除去，亦不得其解。

聲音惡習

花面口中，聲音宜雜。如作各處鄉語，及一切可憎可厭之聲，無非爲發笑計耳，然亦必須有故而然。如所演之劇，人係吴人，則作吴音，人係越人，則作越音，此從人起見者也。如演劇之地在吴則作吴音，在越則作越音，此從地起見者也。可怪近日之梨園，無論在南在北，在西在東，亦無論劇中之人生于何地，長于何方，凡係花面脚色，即作吴音，豈吴人盡屬花面乎？此與净丑着藍衫，同一覆盆之事也。使范文正、韓襄毅諸公有靈，聞此聲，觀此劇，未有不抱恨九原，而思痛革其弊者也。今三吴縉紳之居要路者，欲易此俗，不過啓吻之勞；從未有計及此者，度量優容，真不可及。且梨園盡屬吴人，凡事皆能自顧，獨此一着，不惟不自争氣，偏欲故形其醜，豈非天下古今一絶大怪事乎？且三吴之音，止能通于三吴，出境言之，人多不解，求其發笑，而反使聽者茫然，亦失計甚矣。吾請爲詞場易之：花面聲音，亦如生旦外末，悉作官音，止以話頭惹笑，不必故作方言。即作方言，亦隨地轉。如在杭州，即學杭人之話，在徽州，即學徽人之話，使婦人小兒皆能識辨。識者多，則笑者衆矣。

語言惡習

白中有『呀』字，驚駭之聲也。如意中并無此事，而猝然遇之，一向未見其人，而偶爾逢之，則用此字開口，以示异也。近日梨園不明此義，凡見一人，凡遇一事，不論意中意外，久逢乍逢，即用此字開口，甚有差人請客而客至，亦以『呀』字爲接見之聲者，此等迷謬，尚可言乎？故爲揭出，使知斟酌用之。

戲場慣用者，又有『且住』二字。此二字有兩種用法。一則相反之事，用作過文，如正説此事，忽然想及彼事，彼事與此事勢難并行，纔想及而未曾出口，先以此二字截斷前言，『且住』者，住此説以聽彼説也。一則心上猶豫，假此以待沉吟，如此説自以爲善，恐未盡善，務期必妥，當于是處尋非，故以此代心口相商，『且住』者，稍遲以待，不可竟行之意也。而今之梨園，不問是非好歹，開口說話，即用此二字作助語詞，常有一段賓白之中，連說數十個『且住』者。此皆不詳字義之故，一經點破，犯此病者鮮矣。

上場引子下場詩，此一齣戲文之首尾。尾後不可增尾，猶頭上不可加頭也。可怪近時新例，下場詩念畢，仍不落臺，定增幾句淡話，以極緊凑之文，翻成極寬緩之局。此義何居？令人不解。曲有尾聲及下場詩者，以曲音散漫，不得幾句緊腔，如何截得板住？白文冗雜，不得幾句約語，如何結得話成？若使結過之後，又復說起，何如不收竟下之爲愈乎？且首尾一理，詩後既可添話，則何不于引子之先，亦加幾句說白，說完而後唱乎？此積習之最無理最可厭者，急宜改革，然又不可盡革。如兩人三人在場，二人先下，一人說話未了，必宜稍停以盡其說，此謂『吊場』，原係古格。然須萬不得已，少此數句，必添以後一齣戲文，或少此數句，即埋没從前說話之意者，方可如此。（亦有下場不及更衣者，故借此爲緩兵計。）是龍足，非蛇足也。然衹可偶一爲之，若齣齣皆然，則是貂皆可續矣，何世間狗尾之多乎？

科諢惡習

插科打諢處，陋習更多，革之將不勝革，且見過即忘，不能悉記，略舉數則而已。如兩人相毆，一勝一敗，有人來勸，必使被毆者走脫，而誤打勸解之人，《連環·擲戟》之董卓是也。主人偷香竊玉，館童吃醋拈酸，謂尋新不如守舊，說畢必以臀相向，如《玉簪》之進安、《西厢》之琴童是也。戲中串戲，殊覺可厭，而優人慣增此種，其腔必效弋陽，《幽閨·曠野奇逢》之酒保是也。

聲容部

選姿第一

『食色，性也。』『不知子都之姣者，無目者也。』古之大賢擇言而發，其所以不拂人情，而數爲是論者，以性所原有，不能强之使無耳。人有美妻美妾而我好之，是謂拂人之性；好之不惟損德，且以殺身。我有美妻美妾而我好之，是還吾性中所有，聖人復起，亦得我心之同然，非失德也。孔子云：『素富貴，行乎富貴。』人處得爲之地，不買一二姬妾自娱，是素富貴而行乎貧賤矣。王道本乎人情，焉用此矯清矯儉者爲哉？但有獅吼在堂，則應借此藏拙，不則好之實所以惡之，憐之適足以殺之，不得以紅顔薄命借口，而爲代天行罰之忍人也。予一介寒生，終身落魄，非止

國色難親，天香未遇，即强顔陋質之婦，能見幾人，而敢謬次音容，侈談歌舞，貽笑于眠花籍柳之人哉！然而緣雖不偶，興則頗佳，事雖未經，理實易諳，想當然之妙境，較身醉温柔鄉者倍覺有情。如其不信，但以往事驗之。楚襄王，人主也。六宫窈窕，充塞内庭，握雨携雲，何事不有？而千古以下，不聞傳其實事，止有陽臺一夢，膾炙人口。陽臺今落何處？神女家在何方？朝爲行雲，暮爲行雨，畢竟是何情狀？豈有踪迹可考，實事可縷陳乎？皆幻境也。幻境之妙，十倍于真，故千古傳之。能以十倍于真之事，譜而爲法，未有不入閑情三昧者。凡讀是書之人，欲考所學之從來，則請以楚國陽臺之事對。

肌膚

婦人嫵媚多端，畢竟以色爲主。《詩》不云乎『素以爲絢兮』？素者，

白也。婦人本質，惟白最難。常有眉目口齒般般入畫，而缺陷獨在肌膚者。豈造物生人之巧，反不同于染匠，未施漂練之力，而遽加文采之工乎？曰：非然。白難而色易也。曷言乎難？是物之生，皆視根本，根本何色，枝葉亦作何色。人之根本維何？精也，血也。精色帶白，血則紅而紫矣。多受父精而成胎者，其人之生也必白。父精母血交聚成胎，或血多而精少者，其人之生也必在黑白之間。若其血色淺紅，結而爲胎，雖在黑白之間，及其生也，豢以美食，處以曲房，猶可日趨于淡，以脚地未盡緇也。有幼時不白，長而始白者，此類是也。至其血色深紫，結而成胎，則其根本已緇，全無脚地可漂，及其生也，即服以水晶雲母，居以玉殿瓊樓，亦難望其變深爲淺，但能守舊不遷，不致愈老愈黑，亦云幸矣。有富貴之家，生而不白，至長至老亦若是者，此類是也。知此，則知選材之法，當如染匠之受衣。有以白衣漂者受之，易爲力也；有白衣稍垢而使漂者亦受之，雖難爲力，其力猶可施也；若以既染深色之衣，使之剥去他色，漂而爲白，則雖什佰其工價，必辭之不受。以人力雖巧，難拗天工，不能强既有者而使之無也。婦人之白者易相，黑者亦易相，惟在黑白之間者，相之不易。有三法焉：面黑于身者易白，身黑于面者難白；肌膚之黑而嫩者易白，黑而粗者難白；皮肉之黑而寬者易白，黑而緊且實者難白。面黑于身者，以面在外而身在內，在外則有風吹日曬，其漸白也爲難；身在衣中，較面稍白，則其由深而淺，業有明徵，使面亦同身，蔽之有物，其驗亦若是矣，故易白。身黑于面者反此，故不易白。肌膚之細而嫩者，如綾羅紗絹，其體光滑，故受色易，退色亦易，稍受風吹，略經日照，則深者淺而濃者淡矣。粗則如布如毯，其受色之難，十倍于綾羅紗絹，至欲退之，其工又不止十倍，肌膚之理亦若是也，故知嫩者易白，而粗者難白。皮肉之黑而寬者，猶紬緞之未經熨，靴與履之未經楦者，因其皺而未直，故淺者似深，淡者似濃，一經熨楦之後，則紋理陡變，非復曩時色相矣。肌膚之寬者，以其血肉未足，猶待長養，亦猶待楦之靴履，未經燙熨之綾羅紗絹，此際若此，則其血肉充滿之後必不若此，故知寬者易白，緊而實者難白。相肌之法，備乎此矣。若是，則白者、嫩者、寬者爲人争取，其黑而粗、緊而實者遂成弃物乎？曰：不然。薄命盡出紅顔，厚福偏歸陋質，此等非也，皆素封伉儷之材，誥命夫人之料也。

眉眼

面爲一身之主，目又爲一面之主。相人必先相面，人盡知之，相面必先相目，人亦盡知，而未必盡窮其秘。吾謂相人之法，必先相心，心得而後觀其形體。形體維何？眉髮口齒，耳鼻手足之類是也。心在腹中，何由得見？曰：有目在，無憂也。察心之邪正，莫妙于觀眸子，子輿氏筆之于書，業開風鑒之祖。予無事贅陳其説，但言情性之剛柔，心思之愚慧。四者非他，即异日司花執爨之分途，而獅吼堂與温柔鄉接壤之地也。目細而長者，秉性必柔；目粗而大者，居心必悍；目善動而黑白分明者，必多聰慧；目常定而白多黑少，或白少黑多者，必近愚蒙。然初相之時，善轉者亦未能遽轉，不定者亦有時而定。何以試之？曰：有法在，無憂也。其法維何？一曰以静待動，一曰以卑矚高。目隨身轉，未有動蕩其身，而能膠柱其目者；使之乍往乍來，多行數武，而我回環其目以視之，則秋波不轉而自轉，此一法也。婦人避羞，目必下視，我若居高臨卑，彼下而又下，永無見目之時矣。必當處之高位，或立臺坡之上，或居樓閣之前，而我故降其軀以矚之，則彼下無可下，勢必環轉其睛以避我。雖云善動者動，不善動者亦動，而勉强自然之中，即有貴賤妍媸之別，此又一法也。至于耳之大小，鼻之高卑，眉髮之淡濃，唇齒之紅白，無目者猶能按之以手，豈有識者不能鑒之以形？無俟曉曉，徒滋繁瀆。

眉之秀與不秀，亦復關係情性，當與眼目同視。然眉眼二物，其勢往往相因。眼細者眉必長，眉粗者眼必巨，此大較也，然亦有不盡相合者。如長短粗細之間，未能一一盡善，則當取長恕短，要當視其可施人力與否。張京兆工于畫眉，則其夫人之雙黛，必非濃淡得宜，無可潤澤者。短者可長，則妙在用增；粗者可細，則妙在用減。但有必不可少之一字，而人多忽視之者，其名曰『曲』。必有天然之曲，而後人力可施其巧。『眉若遠山』，『眉如新月』，皆言曲之至也。即不能酷肖遠山，盡如新月，亦須稍帶月形，略存山意，或彎其上而不彎其下，或細其外而不細其中，皆可自施人力。最忌平空一抹，有如太白經天；又忌兩筆斜衝，儼然倒書八字。變遠山爲近瀑，反新月爲長虹，雖有善畫之張郎，亦將畏難而却走。非選姿者居心太刻，以其爲温柔鄉擇人，非爲娘子軍擇將也。

手足

相女子者，有簡便訣云：『上看頭，下看脚。』似二語可概通身矣。予怪其最要一着，全未提起。兩手十指，爲一生巧拙之關，百歲榮枯所繫，相女者首重在此，何以略而去之？且無論手嫩者必聰，指尖者多慧，臂豐而腕厚者，必享珠圍翠繞之榮；即以現在所需而論之，手以揮弦，使其指節纍纍，幾類彎弓之決拾；手以品簫，如其臂形攘攘，幾同伐竹之斧斤；抱枕携衾，觀之興索，捧卮進酒，受者眉攢，亦大失開門見山之初着矣。故相手一節，爲觀人要着，尋花問柳者不可不知，然此道亦難言之矣。選人選足，每多窄窄金蓮；觀手觀人，絶少纖纖玉指。是最易者足，而最難者手，十百之中，不能一二覯也。須知立法不可不嚴，至于行法，則不容不恕。但于或嫩或柔或尖或細之中，取其一得，即可寬恕其他矣。

至于選足一事，如但求窄小，則可一目了然。儻欲由粗以及精，盡美而思善，使脚小而不受脚小之累，兼收脚小之用，則又比手更難，皆不可求而可遇者也。其累維何？因脚小而難行，動必扶墻靠壁，此累之在己者也；因脚小而致穢，令人掩鼻攢眉，此累之在人者也。其用維何？瘦欲無形，越看越生憐惜，此用之在日者也；柔若無骨，愈親愈耐撫摩，此用之在夜者也。昔有人謂予曰：『宜興周相國，以千金購一麗人，名爲「抱小姐」，因其脚小之至，寸步難移，每行必須人抱，是以得名。』予曰：『果若是，則一泥塑美人而已矣，數錢可買，奚事千金？』造物生人以足，欲其行也。昔形容女子娉婷者，非曰『步步生金蓮』，即曰『行行如玉立』，皆謂其脚小能行，又復行而入畫，是以可珍可寶，如其小而不行，則與刖足者何异？此小脚之累之不可有也。予遍游四方，見足之最小而無累，與最小而得用者，莫過于秦之蘭州、晋之大同。蘭州女子之足，大者三寸，小者猶不及焉，又能步履如飛，男子有時追之不及，然去其凌波小襪而撫摩之，猶覺剛柔相半；即有柔若無骨者，然偶見則易，頻遇爲難。至大同名妓，則强半皆若是也。與之同榻者，撫及金蓮，令人不忍釋手，覺倚翠偎紅之樂，未有過于此者。向在都門，以此語人，人多不信。一日席間擁二妓，一晋一燕，皆無麗色，而足則甚小。予請不信者即而驗之，果覺晋勝于燕，大有剛柔之別。座客無不翻然，而罰不信者以金谷酒數。此言小脚之用之不可無也。噫，豈其娶妻必齊之姜？就地取材，但不失立言之大意而已矣。

驗足之法無他，祇在多行幾步，觀其難行易動，察其勉强自然，則思過半矣。直則易動，曲即難行；正則自然，歪即勉强。直而正者，非止美觀便走，亦少穢氣。大約穢氣之生，皆强勉造作之所致也。

態度

古云：『尤物足以移人。』尤物維何？媚態是已。世人不知，以爲美色，烏知顔色雖美，是一物也，烏足移人？加之以態，則物而尤矣。如云美色即是尤物，即可移人，則今時絹做之美女，畫上之嬌娥，其顔色較之生人，豈止十倍，何以不見移人，而使之害相思成鬱病耶？是知『媚態』二字，必不可少。媚態之在人身，猶火之有焰，燈之有光，珠貝金銀之有寶色，是無形之物，非有形之物也。惟其是物而非物，無形似有形，是以名爲『尤物』。尤物者，怪物也，不可解説之事也。凡女子，一見即令人思，思而不能自已，遂至捨命以圖，與生爲難者，皆怪物也，皆不可解説之事也。吾于『態』之一字，服天地生人之巧，鬼神體物之工。使以我作天地鬼神，形體吾能賦之，知識我能予之，至于是物而非物，無形似有形之態度，我實不能變之化之，使其自無而有，復自有而無也。態之爲物，不特能使美者愈美，艷者愈艷，且能使老者少而媸者妍，無情之事變爲有情，使人暗受籠絡而不覺者。女子一有媚態，三四分姿色，便可抵過六七分。試以六七分姿色而無媚態之婦人，與三四分姿色而有媚態之婦人同立一處，則人止愛三四分而不愛六七分，是態度之于顔色，猶不止一倍當兩倍也。試以二三分姿色而無媚態之婦人，與全無姿色而止有媚態之婦人同立一處，或與人各交數言，則人止爲媚態所惑，而不爲美色所惑，是態度之于顔色，猶不止于以少敵多，且能以無而敵有也。今之女子，每有狀貌姿容一無可取，而能令人思之不倦，甚至捨命相從者，『態』之一字之爲祟也。是知選貌選姿，總不如選態一着之爲要。態自天生，非可强造。强造之態，不能飾美，止能愈增其陋。同一顰也，出于西施則可愛，出于東施則可憎者，天生、强造之别也。相面、相肌、相眉、相眼之法，皆可言傳，獨相態一事，則予心能知之，口實不能言之。口之所能言者，物也，非尤物也。噫，能使人知，而能使人欲言不得，其爲物也何如！其爲事也何如！豈非天地之間一大怪物，而從古及今，一件解説不來之事乎？

詰予者曰：既爲態度立言，又不指人以法，終覺首鼠，盍亦捨精言粗，略示相女者以意乎？予曰：不得已而爲言，止有直書所見，聊爲榜樣而已。向在維揚，代一貴人相妾。靚妝而至者不一其人，始皆俯首而立，及命之抬頭，一人不作羞容而竟抬；一人嬌羞靦腆，强之數四而後抬；一人初不即抬，及强而後可，先以眼光一瞬，似于看人而實非看人，瞬畢復定而後抬，俟人看畢，復以眼光一瞬而後俯，此即『態』也。記曩時春游遇雨，避一亭中，見無數女子，妍媸不一，皆踉蹌而至。中一縞衣貧婦，年三十許，人皆趨入亭中，彼獨徘徊檐下，以中無隙地故也；人皆抖擻衣衫，慮其太濕，彼獨聽其自然，以檐下雨侵，抖之無益，徒現醜態故也。及雨將止而告行，彼獨遲疑稍後，去不數武而雨復作，乃趨入亭。彼則先立亭中，以逆料必轉，先踞勝地故也。然臆雖偶中，絶無驕人之色。見後入者反立檐下，衣衫之濕，數倍于前，而此婦代爲振衣，姿態百出，竟若天集衆醜，以形一人之媚者。自觀者視之，其初之不動，似以鄭重而養態；其後之故動，似以徜徉而生態。然彼豈能必天復雨，先儲其才以俟用乎？其養也，出之無心，其生也，亦非有意，皆天機之自起自伏耳。當其養態之時，先有一種嬌羞無那之致現于身外，令人生愛生憐，不俟娉婷大露而後覺也。斯二者，皆婦人媚態之一斑，舉之以見大較。噫，以年三十許之貧婦，止爲姿態稍异，遂使二八佳人與曳珠頂翠者皆出其下，然則態之爲用，豈淺鮮哉！

人問：聖賢神化之事，皆可造詣而成，豈婦人媚態獨不可學而至乎？予曰：學則可學，教則不能。人又問：既不能教，胡云可學？予曰：使無態之人與有態者同居，朝夕薰陶，或能爲其所化；如蓬生麻中，不扶自直，鷹變成鳩，形爲氣感，是則可矣。若欲耳提而面命之，則一部《廿一史》，當從何處説起？還怕愈説愈增其木强，奈何！

修容第二

婦人惟仙姿國色，無俟修容；稍去天工者，即不能免于人力矣。然予所謂『修飾』二字，無論妍媸美惡，均不可少。俗云：『三分人材，七分妝飾。』此爲中人以下者言之也。然則有七分人材者，可少三分妝飾乎？即有十分人材者，豈一分妝飾皆可不用乎？曰：不能也。若是，則修容之道不可不急講矣。今世之講修容者，非止窮工極巧，幾能變鬼爲神，我即欲勉竭心神，創爲新説，其如人心至巧，我法難工，非但小巫見大巫，且如小巫之徒，往教大巫之師，其不遺噴飯而唾面者鮮矣。然一時風氣所趨，往往失之過當。非始初立法之不佳，一人求勝于一人，一日務新于一日，趨而過之，致失其真之弊也。『楚王好細腰，宮中皆餓死；楚王好高髻，宮中皆一尺；楚王好大袖，宮中皆全帛。』細腰非不可愛，高髻大袖非不美觀，然至餓死，則人而鬼矣。髻至一尺，袖至全帛，非但不美觀，直與魑魅魍魎無別矣。此非好細腰、好高髻大袖者之過，乃自爲餓死，自爲一尺，自爲全帛者之過也。亦非自爲餓死，自爲一尺，自爲全帛者之過，無一人痛懲其失，著爲章程，謂止當如此，不可太過，不可不及，使有遵守者之過也。吾觀今日之修容，大類楚宮之末俗，著爲章程，非草野得爲之事。但不經人提破，使知不可愛而可憎，聽其日趨日甚，則在生而爲魑魅魍魎者，已去死人不遠，矧腰成一縷，有餓而必死之勢哉！予爲修容立說，實具此段婆心，凡爲西子者，自當曲體人情，萬毋遽發嬌嗔，罪其唐突。

盥櫛

盥面之法，無他奇巧，止是濯垢務盡。面上亦無他垢，所謂垢者，油

而已矣。油有二種，有自生之油，有沾上之油。自生之油，從毛孔沁出，肥人多而瘦人少，似汗非汗者是也。沾上之油，從下而上者少，從上而下者多，以髮與膏沐勢不相離，髮面交接之地，勢難保其不侵。況以手按髮，按畢之後，自上而下亦難保其不相挨擦，挨擦所至之處，即生油發亮之處也。生油發亮，于面似無大損，殊不知一日之美惡係焉，面之不白不匀，即從此始。從來上粉着色之地，最怕有油，有即不能上色。儻于浴面初畢，未經搽粉之時，但有指大一痕爲油手所污，迨加粉搽面之後，則滿面皆白而此處獨黑，又且黑而有光，此受病之在先者也。既經搽粉之後，而爲油手所污，其黑而光也亦然，以粉上加油，但見油而不見粉也，此受病之在後者也。此二者之爲患，雖似大而實小，以受病之處止在一隅，不及滿面，閨人盡有知之者。尚有全體受傷之患，從古佳人暗受其害而不

知者，予請攻而出之。從來試面之巾帕，多不止于試面，擦臂抹胸，隨其所至；有膩即有油，則巾帕之不潔也久矣。即有好潔之人，止以試面，不及其他，然能保其上不及髮，將至額角而遂止乎？一沾膏沐，即非無油少膩之物矣。以此試面，非試面也，猶打磨細物之人，故以油布擦光，使其不沾他物也。他物不沾，粉獨沾乎？凡有面不受妝，越勻越黑；同一粉也，一人搽之而白，一個搽之而不白者，職是故也。以試面之巾有異同，非搽面之粉有善惡也。故善勻面者，必須先潔其巾。試面之巾，止供試面之用，又須用過即浣，勿使稍帶油痕，此務本窮源之法也。

善櫛不如善篦，篦者，櫛之兄也。髮內無塵，始得絲絲現相，不則一片如氈，求其界限而不得，是帽也，非髻也，是退光黑漆之器，非烏雲蟠繞之頭也。故善蓄姬妾者，當以百錢買梳，千錢購篦。篦精則髮精，稍儉其值，則髮損頭痛，篦不數下而止矣。篦之極净，使便用梳。而梳之爲物，則越舊越精。『人惟求舊，物惟求新』。古語雖然，非爲論梳而設。求其舊而不得，則富者用牙，貧者用角。新木之梳，即搜根剔齒者，非油浸十日，不可用也。

古人呼髻爲『蟠龍』。蟠龍者，髻之本體，非由妝飾而成。隨手綰成，皆作蟠龍之勢，可見古人之妝，全用自然，毫無造作。然龍乃善變之物，髮無一定之形，使其相傳至今，物而不化，則龍非蟠龍，乃死龍矣；髮非佳人之髮，乃死人之髮矣。無怪今人善變，變之誠是也。但其變之之形，祇顧趨新，不求合理；祇求變相，不顧失真。凡以彼物肖此物，必取其當然者肖之，必取其應有者肖之，又必取其形色相類者肖之，未有憑空捏造，任意爲之而不顧者。古人呼髮爲『烏雲』，呼髻爲『蟠龍』者，以二物生于天上，宜乎在頂。髮之繚繞似雲，髮之蟠曲似龍，而雲之色有烏雲，龍之色有烏龍。是色也，相也，情也，理也，事事相合，是以得名，非憑捏造，任意爲之而不顧者也。竊怪今之所謂『牡丹頭』、『荷花頭』、『鉢盂頭』，種種新式，非不窮新極异，令人改觀，然于當然應有、形色相類之義，則一無取焉。人之一身，手可生花，江淹之彩筆是也；舌可生花，如來之廣長是也；頭則未見其生花，生之自今日始。此言不當然而然也。髮上雖有簪花之義，未有以頭爲花，而身爲蒂者；鉢盂乃盛飯之器，未有倒貯活人之首，而作覆盆之象者，此皆事所未聞，聞之自今日始。此言不應有而有也。群花之色，萬紫千紅，獨不見其有黑。設立一婦人于此，有人呼之爲『黑牡丹』、『黑蓮花』、『黑鉢盂』者，此婦必艴然而怒，怒而繼之以罵矣。以不喜呼名之怪物，居然自肖其形，豈非絕不可解之事乎？吾謂美人所梳之髻，不妨日异月新，但須籌爲理之所有。理之所有者，其象多端，然總莫妙于雲龍二物。仍用其名而變更其實，則古制新裁，并行而不悖矣。勿謂止此二物，變來有限，須知普天下之物，取其千態萬狀，越變而越不窮者，無有過此二物者矣。龍雖善變，猶不過飛龍、游龍、伏龍、潛龍、戲珠龍、出海龍之數種。至于雲之爲物，頃刻數遷其位，須臾屢易其形，『千變萬化』四字，猶爲有定之稱，其實雲之變相，『千萬』二字，猶不足以限量之也。若得聰明女子，日日仰觀天象，既肖雲而爲髻，復肖髻而爲雲，即一日一更其式，猶不能盡其巧幻，畢其離奇，矧未必朝朝變相乎？若謂天高雲遠，視不分明，難于取法，則令畫工繪出巧雲數朶，以紙剪式，襯于髮下，俟櫛沐既成，而後去之，此簡便易行之法也。雲上盡可着色，或簪以時花，或飾以珠翠，幻作雲端五彩，視之光怪陸離。但須位置得宜，使與雲體相合，若其中應有此物者，勿露時花珠翠之本形，則盡善矣。肖龍之法：如欲作飛龍、游龍，則先以己髮梳一光頭于下，後以假髮製作龍形，盤旋繚繞，覆于其上。務使離髮少許，勿使相粘相貼，始不失飛龍、游龍之義，相粘相貼則是潛龍、伏龍矣。懸空之法，不過用鐵綫一二條，襯于不見之處，其龍爪之向下者，以髮作綫，縫于光髮之上，則不動矣。戲珠龍法，以髮作小龍二條，綴于兩旁，尾向後而首向前，前綴大珠一顆，近于龍嘴，名爲『二龍戲珠』。出海龍亦照前式，但以假髮作波浪紋，綴于龍身空隙之處，皆易爲之。是數法者，皆以雲龍二物分體爲之，是雲自雲而龍自龍也。予又謂雲龍二物勢不宜分，『雲從龍，風從虎』，《周易》業有成言，是當合而用之。同用一髮，同作一假，何不幻作雲龍二物，使龍勿露全身，雲亦勿作全朵，忽而見龍，忽而見雲，令人無可測識，是美人之頭，盡有盤旋飛舞之勢，朝爲行雲，暮爲行雨，不幾兩擅其絕，而爲陽臺神女之現身哉？噫，笠翁于此搜盡枯腸，爲此髻者，不可不加尸祝。天年以後，儻得爲神，則將往來綉閣之中，驗其所製，果有裨于花容月貌否也。

薰陶

名花美女，氣味相同，有國色者，必有天香。天香結自胞胎，非由薰染，佳人身上實實有此一種，非飾美之詞也。此種香氣，亦有姿貌不甚姣艷，而能偶擅其奇者。總之，一有此種，即是夭折摧殘之兆，紅顏薄命未有捷于此者。有國色而有天香，與無國色而有天香，皆是千中遇一，其餘則薰染之力不可少也。其力維何？富貴之家，則需花露。花露者，摘取花瓣入甑，醖釀而成者也。薔薇最上，群花次之。然用不須多，每于盥浴之後，挹取數匙入掌，拭體拍面而勻之。此香此味，妙在似花非花，是露非露。有其芬芳，而無其氣息，是以爲佳，不似他種香氣，或速或沉，是蘭是桂，一嗅即知者也。其次則用香皂浴身，香茶沁口，皆是閨中應有之事。皂之爲物，亦有一種神奇，人身偶染穢物，或偶沾穢氣，用此一擦，則去盡無遺。由此推之，即以百和奇香拌入此中，未有不與垢穢并除，混入水中而不見者矣，乃獨去穢而存香，似有攻邪不攻正之別。皂之佳者，一浴之後，香氣經日不散，豈非天造地設，以供修容飾體之用者乎？香皂以江南六合縣出者爲第一，但價值稍昂，又恐遠不能致，多則浴體，少則止以浴面，亦權宜豐儉之策也。至于香茶沁口，費亦不多，世人但知其貴，不知每日所需，不過指大一片，重止毫厘，裂成數塊，每于飯後及臨睡時以少許潤舌，則滿吻皆香，多則味苦，而反成藥氣矣。凡此所言，皆人所共知，予特申明其説，以見美人之香不可使之或無耳。別有一種，爲值更廉，世人食而但甘其味，嗅而不辨其香者，請揭出言之：果中荔子，雖出人間，實與交梨、火棗無別，其色國色，其香天香，乃果中尤物也。予游閩粤，幸得飽啖而歸，庶不虛生此口，但恨造物有私，不令四方皆出。陳不如鮮，夫人而知之矣。殊不知荔之陳者，香氣未嘗盡没，乃與橄欖同功，其好處却在回味時耳。佳人就寢，止啖一枚，則口脂之香，可以竟夕，多則甜而膩矣。須擇道地者用之，楓亭是其選也。人問：沁口之香，爲美人設乎？爲伴美人設乎？予曰：伴者居多。若論美人，則五官四體皆爲人設，奚止口内之香。

點染

『却嫌脂粉污顏色，淡掃蛾眉朝至尊。』此唐人妙句也。今世諱言脂粉，動稱污人之物，有滿面是粉而云粉不上面，遍唇皆脂而曰脂不沾唇者，皆信唐詩太過，而欲以虢國夫人自居者也。噫，脂粉焉能污人，人自污耳。人謂脂粉二物，原爲中材而設，美色可以不需。予曰：不然。惟美色可施脂粉，其餘似可不設。何也？二物頗帶世情，大有趨炎附熱之態，美者用之愈增其美，陋者加之更益其陋。使以絶代佳人而微施粉澤，略染腥紅，有不增嬌益媚者乎？使以嫫顔陋婦而丹鉛其面，粉藻其姿，有不驚人駭衆者乎？詢其所以然之故，則以白者可使再白，黑者難使遽白；黑上加之以白，是欲故顯其黑，而以白物相形之也。試以一墨一粉，先分二處，後合一處而觀之，其分處之時，黑自黑而白自白，雖云各别其性，未甚相仇也；迨其合處，遂覺黑不自安，而白欲求去。相形相礙，難以一朝居者，以天下之物，相類者可使同居，即不相類而相似者，亦可使之同居，至于非但不相類、不相似，而且相反之物，則斷斷勿使同居，同居必爲難矣。此言粉之不可混施也。脂則不然，面白者可用，面黑者亦可用。但脂粉二物，其勢相依，面上有粉而唇上塗脂，則其色燦然可愛，儻面無粉澤而止丹唇，非但紅色不顯，且能使面上之黑色變而爲紫，以紫之爲色，非係天生，乃紅黑二色合而成之者也。黑一見紅，若逢故物，不求而自合，精光相射，不覺紫氣東來，使乘老子青牛，竟有五色燦然之瑞矣。若是，則脂粉二物，竟與若輩無緣，終身可不用矣，何以世間女子人人不捨，刻刻相需，而人亦未嘗以脂粉多施，擯而不納者？曰：不然。予所論者，乃面色最黑之人，所謂不相類、不相似，而且相反者也。若介在黑、白之間，則相類而相似矣，既相類而相似，有何不可同居？但須施之有法，使濃淡得宜，則二物争效其靈矣。從來傅粉之面，止耐遠觀，難于近視，以其不能勻也。畫士着色，用膠始勻，無膠則研殺不合。人面非同紙絹，萬無用膠之理，此其所以不勻也。有法焉：請以一次分爲二次，自淡而濃，由薄而厚，則可保無是患矣。請以他事喻之。磚匠以石灰粉壁，必先上粗灰一次，後上細灰一次；先上不到之處，後上者補之；後上偶遺之處，又有先上者襯之，是以厚薄相均，泯然無迹。使以二次所上之灰，并爲一次，則非但拙匠難勻，巧者亦不能遍及矣。粉壁且然，況粉面乎？今以一次所傅之粉，分爲二次傅之，先傅一次，俟其稍乾，然後再傅第二次，則濃者淡而淡者濃，雖出無心，自能巧合，遠觀近視，無不宜矣。此法不但能勻，且能變換肌膚，使黑者漸白。何也？染匠之于布帛，無不由淺而深，其在深淺之間者，則非淺非深，另有一色，即如文字之有過文也。如欲染紫，必先使白變紅，再使紅變爲紫，紅即白紫之過文，未有自白竟紫者也。如欲染青，必使白變爲藍，再使藍變爲青，藍即白青之過文，未有由白竟青者也。如婦人面容稍黑，欲使竟變爲白，其勢實難。今以薄粉先勻一次，是其面上之色已在黑白之間，非若曩時之純黑矣；再上一次，是使淡白變爲深白，非使純黑變爲全白也，難易之勢，不大相徑庭哉？由此推之，則二次可廣爲三，深黑可同于淺，人間世上，無不可用粉勻面之婦人矣。此理不待驗而始明，凡讀是編者，批閱至此，即知湖上笠翁原非蠢物，不止爲風雅功臣，亦可謂紅裙知己。初論面容黑白，未免立説過嚴。非過嚴也，使知受病實深，而後知德醫人，果有起死回生之力也。捨此更有二説，皆淺乎此者，然亦不可不知：勻面必須勻項，否則前白後黑，有如戲場之鬼臉；勻面必記掠眉，否則霜花覆眼，几類春生之社婆。至于點唇之法，又與勻面相反，一點即成，始類櫻桃之體；若陸續增添，二三其手，即有長短寬窄之痕，是爲成串櫻桃，非一粒也。

治服第三

古云：『三世長者知被服，五世長者知飲食。』俗云：『三代爲宦，着衣吃飯。』古語今詞，不謀而合，可見衣食二事之難也。飲食載于他卷，茲不具論，請言被服一事。寒賤之家，自羞襤褸，動以無錢置服爲詞，謂一朝發迹，男可翩翩裘馬，婦則楚楚衣裳。孰知衣衫之附于人身，亦猶人身之附于其地。人與地習，久始相安，以極奢極美之服，而驟加儉樸之軀，則衣衫亦類生人，常有不服水土之患。寬者似窄，短者疑長，手欲出而袖使之藏，項宜伸而領爲之曲，物不隨人指使，遂如桎梏其身。『沐猴而冠』爲人指笑者，非沐猴不可着冠，以其着之不慣，頭與冠不相稱也。此猶粗淺之論，未及精微。『衣以章身』，請晰其解。章者，著也，非文采彰明之謂也。身非形體之身，乃智愚賢不肖之實備于躬，猶『富潤屋，德潤身』之身也。同一衣也，富者服之章其富，貧者服之益章其貧；貴者服之章其貴，賤者服之益章其賤。有德有行之賢者，與無品無才之不肖者，其爲章身也亦然。設有一大富長者于此，衣百結之衣，履踵決之履，一種豐腴氣象，自能躍出衣履之外，不問而知爲長者。是敝服垢衣，亦能章人之富，況羅綺而文綉者乎？丐夫菜傭竊得美服而被焉，往往因之得禍，以服能章貧，不必定爲短褐，有時亦在長裾耳。『富潤屋，德潤身』之解，亦復如是。富人所處之屋，不必盡爲畫棟雕梁，即居茅舍數椽，而過其門、入其室者，常見蓽門圭竇之間，自有一種旺氣，所謂『潤』也。公卿將相之後，子孫式微，所居門第未嘗稍改，而經其地者，覺有冷氣侵人，此家門枯槁之過，潤之無其人也。從來讀《大學》者，未得其解，釋以雕鏤粉藻之義。

果如其言，則富人捨其舊居，另覓新居而加以雕鏤粉藻；則有德之人亦將弃其舊身，另易新身而後謂之心廣體胖乎？甚矣，讀書之難，而章句訓詁之學非易事也。予嘗以此論見之説部，今復叙入閑情。噫，此等詮解，豈好閑情、作小説者所者道哉？偶寄云爾。

首飾

珠翠寶玉，婦人飾髮之具也，然增嬌益媚者以此，損嬌掩媚者亦以此。所謂增嬌益媚者，或是面容欠白，或是髮色帶黄，有此等奇珍异寶覆于其上，則光芒四射，能令肌髮改觀，與玉藴于山而山靈，珠藏于澤而澤媚同一理也。若使肌白髮黑之佳人滿頭翡翠，環鬢金珠，但見金而不見人，猶之花藏葉底，月在雲中，是盡可出頭露面之人，而故作藏頭蓋面之事。巨眼者見之，猶能略迹求真，謂其美麗當不止此，使去粉飾而全露天真，還不知如何嫵媚；使遇皮相之流，止談妝飾之離奇，不及姿容窈窕，是以人飾珠翠寶玉，非以珠翠寶玉飾人也。故女人一生，戴珠頂翠之事，止可一月，萬勿多時。所謂一月者，自作新婦于歸之日始，至滿月卸妝之日止。祇此一月，亦是無可奈何。父母置辦一場，翁姑婚娶一次，非此艷妝盛飾，不足以慰其心。過此以往，則當去桎梏而謝羈囚，終身不修苦行矣。一簪一珥，便可相伴一生。此二物者，則不可不求精善。富貴之家，無妨多設金玉犀貝之屬，各存其制，屢變其形，或數日一更，或一日一更，皆未嘗不可。貧賤之家，力不能辦金玉者，寧用骨角，勿用銅錫。骨角耐觀，制之佳者，與犀貝無异，銅錫非止不雅，且能損髮。簪珥之外，所當飾鬢者，莫妙于時花數朵，較之珠翠寶玉，非止雅俗判然，且亦生死迴别。《清平調》之首句云：『名花傾國兩相歡。』歡者，喜也，相歡者，彼既喜我，我亦喜彼之謂也。國色乃人中之花，名花乃花中之人，二物可稱同調，正當晨夕與共者也。漢武云：『若得阿嬌，貯之金屋。』吾謂金屋可以不設，藥欄花榭則斷斷應有，不可或無。富貴之家如得麗人，則當遍訪名花，植于閫内，使之旦夕相親，珠圍翠繞之榮不足道也。晨起簪花，聽其自擇。喜紅則紅，愛紫則紫，隨心插戴，自然合宜，所謂兩相歡也。寒素之家，如得美婦，屋旁稍有隙地，亦當種樹栽花，以備點綴雲鬟之用。他事可儉，此事獨不可儉。婦人青春有幾，男子遇色爲難。盡有公侯將相、富室大家，或苦緣分之慳，或病中宫之妒，欲親美色而畢世不能。我何人斯，而擅有此樂，不得一二事娱悦其心，不得一二物妝點其貌，是爲暴殄天物，猶傾精米潔飯于糞壤之中也。即使赤貧之家，卓錐無地，欲藝時花而不能者，亦當乞諸名園，購之擔上。即使日費幾文錢，不過少飲一杯酒，既悦婦人之心，復娱男子之目，便宜不亦多乎？更有儉于此者，近日吴門所製象生花，窮精極巧，與樹頭摘下者無异，純用通草，每朵不過數文，可備月餘之用。絨絹所製者，價常倍之，反不若此物之精雅，又能肖真。而時人所好，偏在彼而不在此，豈物不論美惡，止論貴賤乎？噫，相士用人者，亦復如此，奚止于物。

吴門所製之花，花象生而葉不象生，户户皆然，殊不可解。若去其假葉而以真者綴之，則因葉真而花益真矣。亦是一法。

時花之色，白爲上，黄次之，淡紅次之，最忌大紅，尤忌木紅。玫瑰，花之最香者也，而色太艷，止宜壓在髻下，暗受其香，勿使花形全露，全露則類村妝，以村婦非紅不愛也。

花中之茉莉，捨插鬢之外，一無所用。可見天之生此，原爲助妝而設，妝可少乎？珠蘭亦然。珠蘭之妙，十倍茉莉，但不能處處皆有，是一恨事。

予前論髻，欲人革去『牡丹頭』、『荷花頭』、『鉢盂頭』等怪形，而以假髮作雲龍等式。客有過之者，謂：吾儕立法，當使天下去贋存真，奈何教人爲僞？予曰：生今之世，行古之道，立言則善，誰其從之？不若因勢利導，使之漸近自然。婦人之首，不能無飾，自昔爲然矣，與其飾以珠翠寶玉，不若飾之以髮。髮雖云假，原是婦人頭上之物，以此爲飾，可謂還其固有，又無窮奢極靡之濫費，與崇尚時花，鄙黜珠玉，同一理也。予豈不能爲高世之論哉？慮其無裨人情耳。

簪之爲色，宜淺不宜深，欲形其髮之黑也。玉爲上，犀之近黄者、蜜蠟之近白者次之，金銀又次之，瑪瑙琥珀皆所不能。簪頭取象于物，如龍頭、鳳頭、如意頭、蘭花頭之類是也。但宜結實自然，不宜玲瓏雕斫；宜與髮相依附，不得昂首而作跳躍之形。蓋簪頭所以壓髮，服貼爲佳，懸空則謬矣。

飾耳之環，愈小愈佳，或珠一粒，或金銀一點，此家常佩戴之物，俗名『丁香』，肖其形也。若配盛妝艷服，不得不略大其形，但勿過丁香之一倍二倍。既當約小其形，復宜精雅其制，切忌爲古時絡索之樣，時非元夕，何須耳上懸燈？若再飾以珠翠，則爲福建之珠燈，丹陽之料絲燈矣。其爲燈也猶可厭，況爲耳上之環乎？

衣衫

婦人之衣，不貴精而貴潔，不貴麗而貴雅，不貴與家相稱，而貴與貌相宜。綺羅文綉之服，被垢蒙塵，反不若布服之鮮美，所謂貴潔不貴精也。紅紫深艷之色，違時失尚，反不若淺淡之合宜，所謂貴雅不貴麗也。貴人之婦，宜披文采，寒儉之家，當衣縞素，所謂與人相稱也。然人有生成之面，面有相配之衣，衣有相配之色，皆一定而不可移者。今試取鮮衣一襲，令少婦數人先後服之，定有一二中看，一二不中看者，以其面色與衣色有相稱、不相稱之別，非衣有公私向背于其間也。使貴人之婦之面色，不宜文采而宜縞素，必欲去縞素而就文采，不幾與面爲仇乎？故曰不貴與家相稱，而貴與面相宜。大約面色之最白最嫩，與體態之最輕盈者，斯無往而不宜。色之淺者顯其淡，色之深者愈顯其淡；衣之精者形其嬌，衣之粗者愈形其嬌。此等即非國色，亦去夷光、王嬙不遠矣，然當世有幾人哉？稍近中材者，即當相體裁衣，不得混施色相矣。相體裁衣之法，變化多端，不應膠柱而論，然不得已而强言其略，則在務從其近而

已。面顔近白者，衣色可深可淺；其近黑者，則不宜淺而獨宜深，淺則愈彰其黑矣。肌膚近膩者，衣服可精可粗；其近糙者，則不宜精而獨宜粗，精則愈形其糙矣。然而貧賤之家，求爲精與深而不能，富貴之家欲爲粗與淺而不可，則奈何？曰：不難。布苧有精粗深淺之別，綺羅文采亦有精粗深淺之別，非謂布苧必粗而羅綺必精，錦綉必深而縞素必淺也。紬與緞之體質不光、花紋突起者，即是精中之粗，深中之淺；布與苧之紗綫緊密、漂染精工者，即是粗中之精，淺中之深。凡予所言，皆貴賤咸宜之事，既不詳綉户而略衡門，亦不私貧家而遺富室。蓋美女未嘗擇地而生，佳人不能選夫而嫁，務使得是編者，人人有裨，則憐香惜玉之念，有同雨露之均施矣。

邇來衣服之好尚，其大勝古昔，可爲一定不移之法者，又有大背情

理，可爲人心世道之憂者，請并言之。其大勝古昔，可爲一定不移之法者，大家富室，衣色皆尚青是已。（青非青也，玄也。因避諱，故易之。）記予兒時所見，女子之少者，尚銀紅桃紅，稍長者尚月白，未幾而銀紅桃紅皆變大紅，月白變藍，再變則大紅變紫，藍變石青。迨鼎革以後，則石青與紫皆罕見，無論少長男婦，皆衣青矣，可謂『齊變至魯，魯變至道』，變之至善而無可復加者矣。其遞變至此也，并非有意而然，不過人情好勝，一家濃似一家，一日深于一日，不知不覺，遂趨到盡頭處耳。然青之爲色，其妙多端，不能悉數。但就婦人所宜者而論，面白者衣之，其面愈白，面黑者衣之，其面亦不覺其黑，此其宜于貌者也。年少者衣之，其年愈少，年老者衣之，其年亦不覺甚老，此其宜于歲者也。貧賤者衣之，是爲貧賤之本等，富貴者衣之，又覺脱去繁華之習，但存雅素之風，亦未嘗失其富貴之本來，此其宜于分者也。他色之衣，極不耐污，略沾茶酒之色，稍侵油膩之痕，非染不能復着，染之即成舊衣。此色不然，惟其極濃也，凡淡乎此者，皆受其侵而不覺；惟其極深也，凡淺乎此者，皆納其污而不辭，此又其宜于體而適于用者也。貧家止此一衣，無他美服相襯，亦未嘗盡現底裏，以覆其外者色原不艷，即使中衣敝垢，未甚相形也；如用他色于外，則一縷欠精，即彰其醜矣。富貴之家，凡有錦衣綉裳，皆可服之于內，風飄袂起，五色燦然，使一衣勝似一衣，非止不掩中藏，且莫能窮其底藴。詩云『衣錦尚絅』，惡其文之著也。此獨不然，止因外色最深，使裏衣之文越著，有復古之美名，無泥古之實害。二八佳人，如欲華美其制，則青上灑綫，青上堆花，較之他色更顯。反復求之，衣色之妙，未有過于此者。後來即有所變，亦皆舉一廢百，不能事事咸宜，此予所謂大勝古昔，可爲一定不移之法者也。至于大背情理，可爲人心世道之憂者，則零拼碎補之服，俗名呼爲『水田衣』者是已。衣之有縫，古人非好爲之，不得已也。人有肥瘠長短之不同，不能象體而織，是必製爲全帛，剪碎而後成之，即此一條兩條之縫，亦是人身贅瘤，萬萬不能去之，故强存其迹。贊神仙之美者，必曰『天衣無縫』，明言人間世上，多此一物故也。而今且以一條兩條廣爲數十百條，非止不似天衣，且不使類人間世上，然則愈趨愈下，將肖何物而後已乎？推原其始，亦非有意爲之，蓋由縫衣之奸匠，明爲裁剪，暗作穿窬，逐段竊取而藏之，無由出脱，創爲此制，以售其奸。不料人情厭常喜怪，不惟不攻其弊，且群然則而效之。毁成片者爲零星小塊，全帛何罪，使受寸磔之刑？縫碎裂者爲百衲僧衣，女子何辜，忽現出家之相？風俗好尚之遷移，常有關于氣數，此制不昉于今，而昉于崇禎末年。予見而詫之，嘗謂人曰：『衣衫無故易形，殆有若或使之者，六合以内，得無有土崩瓦解之事乎？』未幾而闖氛四起，割裂中原，人謂予言不幸而中。方今聖人御世，萬國來歸，車書一統之朝，此等制度，自應潛革。儻遇同心，謂芻蕘之言，不甚訾謬，交相勸諭，勿效前顰，則予爲是言也，亦猶鷄鳴犬吠之聲，不爲無補于盛治耳。

雲肩以護衣領，不使沾油，制之最善者也。但須與衣同色，近觀則有，遠視若無，斯爲得體。即使難于一色，亦須不甚相懸。若衣色極深，而雲肩極淺，或衣色極淺，而雲肩極深，則是身首判然，雖曰相連，實同异處，此最不相宜之事也。予又謂雲肩之色，不惟與衣相同，更須裏外合一，如外色是青，則夾裏之色亦當用青，外色是藍，則夾裏之色亦當用藍。何也？此物在肩，不能時時服貼，稍遇風飄，則夾裏向外，有如颺吹殘葉，風捲敗荷，美人之身不能不現歷亂蕭條之象矣。若使裏外一色，則任其整齊顛倒，總無是患。然家常則已，出外見人，必須暗定以綫，勿使與服相離，蓋動而色純，總不如不動之爲愈也。

婦人之妝，隨家豐儉，獨有價廉功倍之二物，必不可無。一曰半臂，俗呼『背褡』者是也；一曰束腰之帶，俗呼『鸞縧』者是也。婦人之體，宜窄不宜寬，一着背褡，則寬者窄，而窄者愈顯其窄矣。婦人之腰，宜細不宜粗，一束以帶，則粗者細，而細者倍覺其細矣。背褡宜着于外，人皆知之；鸞縧宜束于内，人多未諳。帶藏衣内，則雖有若無，似腰肢本細，非有物縮之使細也。

裙制之精粗，惟視折紋之多寡。折多則行走自如，無纏身礙足之患，折少則往來局促，有拘攣桎梏之形；折多則湘紋易動，無風亦似飄飄，

折少則膠柱難移，有態亦同木强。故衣服之料，他或可省，裙幅必不可省。古云：『裙拖八幅湘江水。』幅既有八，則折紋之不少可知。予謂八幅之裙，宜于家常；人前美觀，尚須十幅。蓋裙幅之增，所費無幾，况增其幅，必減其絲。惟細縠輕綃可以八幅十幅，厚重則爲滯物，與幅減而折少者同矣。即使稍增其值，亦與他費不同。婦人之异于男子，全在下體。男子生而願爲之有室，其所以爲室者，衹在幾希之間耳。掩藏秘器，愛護家珍，全在羅裙幾幅，可不豐其料而美其制，以貽采葑采菲者誚乎？近日吴門所尚『百襉裙』，可謂盡美。予謂此裙宜配盛服，又不宜于家常，惜物力也。較舊制稍增，較新制略減，人前十幅，家居八幅，則得豐儉之宜矣。吴門新式，又有所謂『月華裙』者，一襉之中，五色俱備，猶皎月之現光華也，予獨怪而不取。人工物料，十倍常裙，暴殄天物，不待言矣，而又

不甚美觀。蓋下體之服，宜淡不宜濃，宜純不宜雜。予嘗讀舊詩，見『飄颺血色裙拖地』、『紅裙妒殺石榴花』等句，頗笑前人之笨。若果如是，則亦艷妝村婦而已矣，烏足動雅人韵士之心哉？惟近製『彈墨裙』，頗饒別致，然猶未獲我心，嗣當別出新裁，以正同調。思而未製，不敢輕以誤人也。

鞋襪

男子所着之履，俗名爲鞋，女子亦名爲鞋。男子飾足之衣，俗名爲襪，女子獨易其名曰『褶』，其實褶即襪也。古云『凌波小襪』，其名最雅，不識後人何故易之？襪色尚白，尚淺紅；鞋色尚深紅，今復尚青，可謂制之盡美者矣。鞋用高底，使小者愈小，瘦者越瘦，可謂制之盡美又盡善者矣。然足之大者，往往以此藏拙，埋沒作者一段初心，是止供醜婦效

顰，非爲佳人助力。近有矯其弊者，窄小金蓮，皆用平底，使與僞造者有別。殊不知此制一設，則人人向高底乞靈，高底之爲物也，遂成百世不祧之祀，有之則大者亦小，無之則小者亦大。嘗有三寸無底之足，與四五寸有底之鞋同立一處，反覺四五寸之小，而三寸之大者，以有底則指尖向下，而秃者疑尖，無底則玉笋朝天，而尖者似秃故也。吾謂高底不宜盡去，衹在減損其料而已。足之大者，利于厚而不利于薄，薄則本體現矣；利于大而不利于小，小則痛而不能行矣。我以極薄極小者形之，則似鶴立鷄群，不求异而自异。世豈有高底如錢，不扭捏而能行之大脚乎？

古人取義命名，纖毫不爽，如前所云，以『蟠龍』名髻，『烏雲』爲髮之類是也。獨于婦人之足，取義命名，皆與實事相反。何也？足者，形之最小者也；蓮者，花之最大者也；而名婦人之足者，必曰『金蓮』，名最小

之足者，則曰『三寸金蓮』。使婦人之足，果如蓮瓣之爲形，則其闊而大也，尚可言乎？極小極窄之蓮瓣，豈止三寸而已乎？此『金蓮』之義之不可解也。從來名婦人之鞋者，必曰『鳳頭』。世人顧名思義，遂以金銀製鳳，綴于鞋尖以實之。試思鳳之爲物，止能小于大鵬；方之衆鳥，不幾洋洋乎大觀也哉？以之名鞋，雖曰贊美之詞，實類譏諷之迹。如曰『鳳頭』二字，但肖其形，鳳之頭鋭而身大，是以得名；然則衆鳥之頭，盡有鋭于鳳者，何故不以命名，而獨有取于鳳？且鳳較他鳥，其首獨昂，婦人趾尖，妙在低而能伏，使如鳳凰之昂首，其形尚可觀乎？此『鳳頭』之義之不可解者也。若是，則古人之命名取義，果何所見而云然？豈終不可解乎？曰：有説焉。婦人裹足之制，非由前古，蓋後來添設之事也。其命名之初，婦人之足亦猶男子之足，使其果如蓮瓣之稍尖，鳳頭之稍鋭，亦可謂古之小脚。無其制而能約小其形，較之今人，殆有過焉者矣。吾謂『鳳頭』、『金蓮』等字相傳已久，其名未可遽易，然止可呼其名，萬勿肖其實；如肖其實，則極不美觀，而爲前人所誤矣。不寧惟是，鳳爲羽蟲之長，與龍比肩，乃帝王飾衣飾器之物也，以之飾足，無乃大褻名器乎？嘗見婦人綉襪，每作龍鳳之形，皆昧理僭分之大者，不可不爲拈破。近日女子鞋頭，不綴鳳而綴珠，可稱善變。珠出水底，宜在凌波襪下，且似粟之珠，價不甚昂，綴一粒于鞋尖，滿足俱呈寶色。使登歌舞之氍毹，則爲走盤之珠；使作陽臺之雲雨，則爲掌上之珠。然作始者見不及此，亦猶衣色之變青，不知其然而然，所謂暗合道妙者也。予友余子澹心，向著《鞋襪辨》一篇，考纏足之從來，核婦履之原制，精而且確，足與此説相發明，附載于後。

婦人鞋襪辨

古婦人之足，與男子無異。《周禮》有屨人，掌王及后之服屨，爲赤舄、黑舄、赤繶、黄繶、青勾素屨、葛屨，辨外内命夫命婦之功屨、命屨、散屨。可見男女之履，同一形制，非如後世女子之弓彎細纖，以小爲貴也。考之纏足，起于南唐李後主。後主有宫嬪窅娘，纖麗善舞，乃命作金蓮，高六尺，飾以珍寶，絅帶纓絡，中作品色瑞蓮，令窅娘以帛纏足，屈上作新月狀，着素襪，行舞蓮中，回旋有凌雲之態。由是人多效之，此纏足所自始也。唐以前未開此風，故詞客詩人，歌咏美人好女，容態之殊麗，顔色之天姣，以至面妝首飾、衣褶裙裾之華靡，鬢髮、眉目，唇齒、腰肢、手腕之阿娜秀潔，無不津津乎其言之，而無一語及足之纖小者。即如古樂府之《雙行纏》云：『新羅綉白脛，足趺如春妍。』曹子建云：『踐遠游之文履。』李太白詩云：『一雙金齒屐，兩足白如霜。』韓致光詩云：『六寸膚圓光致致。』杜牧之詩云：『鈿尺裁量減四分。』漢《雜事秘辛》云：『足長八寸，脛跗豐妍。』夫六寸八寸，素白豐妍，可見唐以前婦人之足，無屈上作新月狀者也。即東昏潘妃，作金蓮花帖地，令妃行其上，曰『此步步生金蓮花』，非謂足爲金蓮也。崔豹《古今注》：『東晋有鳳頭重臺之履。』不專言婦人也。宋元豐以前，纏足者尚少，自元至今將四百年，矯揉造作亦泰甚矣。古婦人皆着襪。楊太真死之日，馬嵬媪得錦袎襪一隻，過客一玩百錢。李太白詩云：『溪上足如霜，不着鴉頭襪。』襪一名『膝褲』。宋高宗聞秦檜死，喜曰：『今後免膝褲中插匕首矣。』則襪也，膝褲也，乃男女之通稱，原無分別。但古有底，今無底耳。古有底之襪，不必着鞋，皆可行地；今無底之襪，非着鞋，則寸步不能行矣。張平子云：『羅襪凌躡足容與。』曹子建云：『凌波微步，羅襪生塵。』李後主詞云：『剗襪下香階，手提金縷鞋。』古今鞋襪之制，其不同如此。至于高底之制，前古未聞，于今獨絶。吳下婦人，有以异香爲底，圍以精綾者；有鑿花玲瓏，囊以香麝，行步霏霏，印香在地者。此則服妖，宋元以來詩人所未及，故表而出之，以告世之賦『香奩』、咏『玉臺』者。

襪色與鞋色相反，襪宜極淺，鞋宜極深，欲其相形而始露也。今之女子，襪皆尚白，鞋用深紅深青，可謂盡制。然家家若是，亦忌雷同。予欲更翻置色，深其襪而淺其鞋，則脚之小者更露。蓋鞋之爲色，不當與地色相同。地色者，泥土磚石之色是也。泥土磚石其爲色也多深，淺者立于其上，則界限分明，不爲地色所掩。如地青而鞋亦青，地緑而鞋亦緑，則無所見其短長矣。脚之大者則應反此，宜視地色以爲色，則藏拙之法，不獨使高底居功矣。鄙見若此，請以質之金屋主人，轉詢阿嬌，定其是否。

習技第四

『女子無才便是德。』言雖近理，却非無故而云然。因聰明女子失節者多，不若無才之爲貴。蓋前人憤激之詞，與男子因官得禍，遂以讀書作宦爲畏途，遺言戒子孫，使之勿讀書、勿作宦者等也。此皆見噎廢食之説，究竟書可竟弃，仕可盡廢乎？吾謂才德二字，原不相妨。有才之女，未必人人敗行；貪淫之婦，何嘗歷歷知書？但須爲之夫者，既有憐才之心，兼有馭才之術耳。至于姬妾婢媵，又與正室不同。娶妻如買田莊，非五穀不殖，非桑麻不樹，稍涉游觀之物，即拔而去之，以其爲衣食所出，地力有限，不能旁及其他也。買姬妾如治園圃，結子之花亦種，不結子之花亦種；成蔭之樹亦栽，不成蔭之樹亦栽，以其原爲娱情而設，所重在耳目，則口腹有時而輕，不能顧名兼顧實也。使姬妾滿堂，皆是蠢然一物，我欲言而彼默，我思静而彼喧，所答非所問，所應非所求，是何异于入狐狸之穴，捨宣淫而外，一無事事者乎？故習技之道，不可不與修容、治服并講也。技藝以翰墨爲上，絲竹次之，歌舞又次之，女工則其分内事，不必道也。然盡有專攻男技，不屑女紅，鄙織紝爲賤役，視針綫如仇讎，甚至三寸弓鞋不屑自製，亦倩老嫗貧女爲捉刀人者，亦何借巧藏拙，而失造物生人之初意哉！予謂婦人職業，畢竟以縫紉爲主，縫紉既熟，徐及其他。予談習技而不及女工者，以描鸞刺鳳之事，閨閣中人人皆曉，無俟予爲越俎之談。其不及女工，而仍鄭重其事，不敢竟遺者，慮開後世逐末之門，置紡績蠶繰于不講也。雖説閑情，無傷大道，是爲立言之初意爾。

文藝

學技必先學文。非曰先難後易，正欲先易而後難也。天下萬事萬物，盡有開門之鎖鑰。鎖鑰維何？文理二字是也。尋常鎖鑰，一鑰止開一鎖，一鎖止管一門；而文理二字之爲鎖鑰，其所管者不止千門萬户。蓋合天上地下，萬國九州，其大至于無外，其小至于無内，一切當行當學之事，無不握其樞紐，而司其出入者也。此論之發，不獨爲婦人女子，通天下之士農工賈，三教九流，百工技藝，皆當作如是觀。以許大世界，攝入文理二字之中，可謂約矣，不知二字之中，又分賓主。凡學文者，非爲學文，但欲明此理也。此理既明，則文字又屬敲門之磚，可以廢而不用矣。天下技藝無窮，其源頭止出一理。明理之人學技，與不明理之人學技，其難易判若天淵。然不讀書不識字，何由明理？故學技必先學文。然女子所學之文，無事求全責備，識得一字，有一字之用，多多益善，少亦未嘗不善；事事能精，一事自可愈精。予嘗謂土木匠工，但有能識字記賬者，其所造之房屋器皿，定與拙匠不同，且有事半功倍之益。人初不信，後擇數人驗之，果如予言。粗技若此，精者可知。甚矣，字之不可不識，理之不可不明也。

婦人讀書習字，所難祇在入門。入門之後，其聰明必過于男子，以男子念紛，而婦人心一故也。導之入門，貴在情竇未開，開則志念稍分，不似從前之專一。然買姬置妾，多在三五、二八之年，娶而不御，使作蒙童求我者，寧有幾人？如必俟情竇未開，是終身無可授之人矣。惟在循循善誘，勿阻其機，『撲作教刑』一語，非爲女徒而設也。先令識字，字識而後教之以書。識字不貴多，每日僅可數字，取其筆畫最少，眼前易見者訓之。由易而難，由少而多，日積月累，則一年半載以後，不令讀書而自解尋章覓句矣。乘其愛看之時，急覓傳奇之有情節、小說之無破綻者，聽其翻閱，則書非書也，不怒不威而引人登堂入室之明師也。其故維何？以傳奇、小說所載之言，盡是常談俗語，婦人閱之，若逢故物。譬如一句之中，共有十字，此女已識者七，未識者三，順口念去，自然不差。是因已識之七字，可悟未識之三字，則此三字也者，非我教之，傳奇、小說教之也。由此而機鋒相觸，自能曲喻旁通。再得男子善爲開導，使之由淺而深，則共枕論文，較之登壇講藝，其爲時雨之化，難易奚止十倍哉？十人之中，拔其一二最聰慧者，日與談詩，使之漸通聲律，但有說話鏗鏘，無重複聱牙之字者，即作詩能文之料也。蘇夫人說：『春夜月勝于秋夜月，秋夜月令人慘凄，春夜月令人和悅。』此非作詩，隨口所說之話也。東坡因其出口合律，許以能詩，傳爲佳話。此即説話鏗鏘，無重復聱牙，可以作詩之明驗也。其餘女子，未必人人若是，但能書義稍通，則任學諸般技藝，皆是鎖鑰到手，不憂阻隔之人矣。

婦人讀書習字，無論學成之後受益無窮，即其初學之時，先有裨于觀者：祇須案攤書本，手捏柔毫，坐于緑窗翠箔之下，便是一幅畫圖。班姬續史之容，謝庭咏雪之態，不過如是，何必睹其題咏，較其工拙，而後有閨秀同房之樂哉？噫，此等畫圖，人間不少，無奈身處其地，皆作尋常事物觀，殊可惜耳。

欲令女子學詩，必先使之多讀，多讀而能口不離詩，以之作話，則其詩意詩情，自能隨機觸露，而爲天籟自鳴矣。至其聰明之所發，思路之由開，則全在所讀之詩之工拙，選詩與讀者，務在善迎其機。然則選者維何？曰：在『平易尖穎』四字。平易者，使之易明且易學；尖穎者，婦人之聰明，大約在纖巧一路，讀尖穎之詩，如逢故我，則喜而願學，所謂迎其機也。所選之詩，莫妙于晚唐及宋人，初中盛三唐，皆所不取；至漢魏晉之詩，皆秘勿與見，見即阻塞機鋒，終身不敢學矣。此予邊見，高明者閲之，勢必啞然一笑。然予才淺識隘，僅足爲女子之師，至高峻詞壇，則生平未到，無怪乎立論之卑也。

女子之善歌者，若通文義，皆可教作詩餘。蓋長短句法，日日見于詞曲之中，入者既多，出者自易，較作詩之功爲尤捷也。曲體最長，每一套必須數曲，非力贍者不能。詩餘短而易竟，如《長相思》、《浣溪紗》、《如夢令》、《蝶戀花》之類，每首不過一二十字，作之可逗靈機。但觀詩餘選本，多閨秀女郎之作，爲其詞理易明，口吻易肖故也。然詩餘既熟，即可由短而長，擴爲詞曲，其勢亦易。果能如是，聽其自製自歌，則是名士佳人合而爲一，千古來韵事韵人，未有出于此者。吾恐上界神仙，自鄙其樂，咸欲謫向人寰而就之矣。此論前人未道，實實創自笠翁，有由此而得妙境者，切勿忘其所本。

以閨秀自命者，書、畫、琴、棋四藝，均不可少。然學之須分緩急，必不可已者先之，其餘資性能兼，不妨次第并舉，不則一技擅長，才女之名著矣。琴列絲竹，别有分門，書則前説已備。善教由人，善習由己，其工拙淺深，不可强也。畫乃閨中末技，學不學聽之。至手談一節，則斷不容已，教之使學，其利于人己者，非止一端。婦人無事，必生他想，得此遣日，則妄念不生，一也；女子群居，争端易釀，以手代舌，是喧者寂之，二也；男女對坐，静必思淫，鼓瑟鼓琴之暇，焚香啜茗之餘，不設一番功課，則静極思動，其兩不相下之勢，不在几案之前，即居床第之上矣。一涉手談，則諸想皆落度外，緩兵降火之法，莫善于此。但與婦人對壘，無事角勝争雄，寧饒數子而輸彼一籌，則有喜無嗔，笑容可掬；若有心使敗，非止當下難堪，且阻後來弈興矣。

纖指拈棋，躊躇不下，静觀此態，盡勾消魂。必欲勝之，恐天地間無此忍人也。

雙陸投壺諸技，皆在可緩。骨牌賭勝，亦可消閑，且易知易學，似不可已。

絲竹

絲竹之音，推琴爲首。古樂相傳至今，其已變而未盡變者，獨此一種，餘皆末世之音也。婦人學此，可以變化性情，欲置温柔鄉，不可無此陶熔之具。然此種聲音，學之最難，聽之亦最不易。凡令姬妾學此者，當先自問其能彈與否。主人知音，始可令琴瑟在御，不則彈者鏗然，聽者茫然，强束官骸以俟其闋，是非悦耳之音，乃苦人之具也，習之何爲？凡人買姬置妾，總爲自娱。己所悦者，導之使習；己所不悦，戒令勿爲，是真能自娱者也。嘗見富貴之人，聽慣弋陽、四平等腔，極嫌昆調之冷，然因世人雅重昆調，强令歌童習之，每聽一曲，攢眉許久，座客亦代爲苦難，此皆不善自娱者也。予謂人之性情，各有所嗜，亦各有所厭，即使嗜之不當，厭之不宜，亦不妨自攻其謬。自攻其謬，則不謬矣。予生平有三癖，皆世人共好而我獨不好者：一爲果中之橄欖，一爲饌中之海參，一爲衣中之繭紬。此三物者，人以食我，我亦食之；人以衣我，我亦衣之；然未嘗自沽而食，自購而衣，因不知其精美之所在也。諺云：『村人吃橄欖，不知回味。』予真海内之村人也。因論習琴，而謬談至此，誠爲饒舌。

人問：主人善琴，始可令姬妾學琴，然則教歌舞者，亦必主人善歌善舞而後教乎？鬚眉丈夫之工此者，有幾人乎？曰：不然。歌舞難精而易曉，聞其聲音之婉轉，睹見體態之輕盈，不必知音，始能領略，座中席上，主客皆然，所謂雅俗共賞者是也。琴音易響而難明，非身習者不知，惟善彈者能聽。伯牙不遇子期，相如不得文君，盡日揮弦，總成虛鼓。吾觀今世之爲琴，善彈者多，能聽者少；延名師、教美妾者盡多，果能以此行樂，不愧文君、相如之名者絶少。務實不務名，此予立言之意也。若使主人善操，則當捨諸技而專務絲桐。『妻子好合，如鼓瑟琴。』『窈窕淑女，琴瑟友之。』琴瑟非他，膠漆男女，而使之合一；聯絡情意，而使之不分者也。花前月下，美景良辰，值水閣之生涼，遇綉窗之無事，或夫唱而妻和，或女操而男聽，或兩聲齊發，韵不參差，無論身當其境者儼若神仙，即畫成一幅合操圖，亦足令觀者消魂，而知音男婦之生妒也。

絲音自蕉桐而外，女子宜學者，又有琵琶、弦索、提琴之三種。琵琶極妙，惜今時不尚，善彈者少，然弦索之音，實足以代之。弦索之形較琵琶爲瘦小，與女郎之纖體最宜。近日教習家，其于聲音之道，能不大謬于宮商者，首推弦索，時曲次之，戲曲又次之。予向有場内無文，場上無曲之説，非過論也。止爲初學之時，便以取捨得失爲心，慮其調高和寡，止求爲『下里巴人』，不願作『陽春白雪』，故造到五七分即止耳。提琴較之弦索，形愈小而聲愈清，度清曲者必不可少。提琴之音，即絶少美人之音也。春容柔媚，婉轉斷續，無一不肖。即使清曲不度，止令善歌二人，一吹洞簫，一拽提琴，暗譜悠揚之曲，使隔花間柳者聽之，儼然一絶代佳人，不覺動憐香惜玉之思也。

絲音之最易學者，莫過于提琴，事半功倍，悦耳娱神。吾不能不德創始之人，令若輩尸而祝之也。

竹音之宜于閨閣者，惟洞簫一種。笛可暫而不可常。到笙、管二物，則與諸樂并陳，不得已而偶然一弄，非綉窗所應有也。蓋婦人奏技，與男子不同，男子所重在聲，婦人所重在容。吹笙搦管之時，聲則可聽，而容不耐看，以其氣塞而腮脹也，花容月貌爲之改觀，是以不應使習。婦人吹簫，非止容顔不改，且能愈增嬌媚。何也？按風作調，玉笋爲之愈尖；簇口爲聲，朱唇因而越小。畫美人者，常作吹簫圖，以其易于見好也。或簫或笛，如使二女并吹，其爲聲也倍清，其爲態也更顯，焚香啜茗而領略之，皆能使身不在人間世也。

吹簫品笛之人，臂上不可無釧。釧又勿使太寬，寬則藏于袖中，不得見矣。

歌舞

《演習部》中已載者，一語不贅。彼係泛論優伶，此則單言女樂，然教習聲樂者，不論男女，二冊皆當細閱。

昔人教女子以歌舞，非教歌舞，習聲容也。欲其聲音婉轉，則必使之學歌；學歌既成，則隨口發聲，皆有燕語鶯啼之致，不必歌而歌在其中矣。欲其體態輕盈，則必使之學舞；學舞既熟，則回身舉步，悉帶柳翻花笑之容，不必舞而舞在其中矣。古人立法，常有事在此而意在彼者。如良弓之子先學爲箕，良冶之子先學爲裘。婦人之學歌舞，即弓冶之學箕裘也。後人不知，盡以聲容二字屬之歌舞，是歌外不復有聲，而徵容必須試舞，凡爲女子者，即有飛燕之輕盈，夷光之嫵媚，捨作樂無所見長。然則一日之中，其爲清歌妙舞者有幾時哉？若使聲容二字，單爲歌舞而設，則其教習聲容，猶在可疏可密之間。若知歌舞二事，原爲聲容而設，則其講究歌舞，有不可苟且塞責者矣。但觀歌舞不精，則其貼近主人之身，而爲殢雨尤雲之事者，其無嬌音媚態可知也。

『絲不如竹，竹不如肉。』此聲樂中三昧語，謂其漸近自然也。予又謂男音之爲肉，造到極精處，止可與絲竹比肩，猶是肉中之絲，肉中之竹也。何以知之？但觀人贊男音之美者，非曰『其細如絲』，則曰『其清如竹』，是可概見。至若婦人之音，則純乎其爲肉矣。語云：『詞出佳人口。』予曰：不必佳人，凡女子之善歌者，無論妍媸美惡，其聲音皆迥別男人。貌不揚而聲揚者有之，未有面目可觀而聲音不足聽者也。但須教之有方，導之有術，因材而施，無拂其天然之性而已矣。歌舞二字，不止謂登場演劇，然登場演劇一事，爲今世所極尚，請先言其同好者。

一曰取材。取材維何？優人所謂『配脚色』是已。喉音清越而氣長者，正生、小生之料也；喉音嬌婉而氣足者，正旦、貼旦之料也，稍次則充老旦；喉音清亮而稍帶質樸者，外末之料也；喉音悲壯而略近噍殺者，大净之料也。至于丑與副净，則不論喉音，祇取性情之活潑，口齒之便捷而已。然此等脚色，似易實難。男優之不易得者二旦，女優之不易得者净丑。不善配脚色者，每以下選充之，殊不知婦人體態不難于莊重妖嬈，而難于魁奇灑脱，苟得其人，即使面貌娉婷，喉音清腕，可居生旦之位者，亦當屈抑而爲之。蓋女優之净丑，不比男優僅有花面之名，而無抹粉塗胭之實，雖涉詼諧謔浪，猶之名士風流。若使梅香之面貌勝于小姐，奴僕之詞曲過于官人，則觀者聽者倍加憐惜，必不以其所處之位卑，而遂卑其才與貌也。

二曰正音。正音維何？察其所生之地，禁爲鄉土之言，使歸《中原音韵》之正者是已。鄉音一轉而即合昆調者，惟姑蘇一郡。一郡之中，又止取長、吴二邑，餘皆稍遜，以其與他郡接壤，即帶他郡之音故也。即如梁溪境内之民，去吴門不過數十里，使之學歌，有終身不能改變之字，如呼酒鍾爲『酒宗』之類是也。近地且然，况愈遠而愈别者乎？然不知遠者易改，近者難改；詞語判然、聲音迥别者易改，詞語聲音大同小异者難改。譬如楚人往粤，越人來吴，兩地聲音判如霄壤，或此呼而彼不應，或彼説而此不言，勢必大費精神，改唇易舌，求爲同聲相應而後已。止因自任爲難，故轉覺其易也。至入附近之地，彼所言者，我亦能言，不過出口收音之稍別，改與不改，無甚關係，往往因仍苟且，以度一生。止因自視爲易，故轉覺其難也。正音之道，無論异同遠近，總當視易爲難。選女樂者，必自吳門是已。然尤物之生，未嘗擇地，燕姬趙女、越婦秦娥見于載籍者，不一而足。『惟楚有材，惟晋用之。』此言晋人善用，非曰惟楚能生材也。予游遍域中，覺四方聲音，凡在二八上下之年者，無不可改，惟八閩、江右二省，新安、武林二郡，較他處爲稍難耳。正音有法，當擇其一韵之中，字字皆別，而所別之韵，又字字相同者，取其吃緊一二字，出全副精神以正之。正得一二字轉，則破竹之勢已成，凡屬此一韵中相同之字，皆不正而自轉矣。請言一二以概之。九州以内，擇其鄉音最勁、舌本最强者而言，則莫過于秦晋二地。不知秦晋之音，皆有一定不移之成格。秦音無東鍾，晋音無真文；秦音呼東鍾爲真文，晋音呼真文爲東鍾。此予身入其地，習處其人，細細體認而得之者。秦人呼中庸之中爲『肫』，通達之通爲『吞』，東南西北之東爲『敦』，青紅紫緑之紅爲『魂』，凡屬東鍾一韵者，字字皆然，無一合于本韵，無一不涉真文。豈非秦音無東鍾，秦音呼東鍾爲真文之實據乎？我能取此韵中一二字，朝訓夕詁，導之改易，一字能變，則字字皆變矣。晋音較秦音稍雜，不能處處相同，然凡屬真文一韵之字，其音皆仿佛東鍾，如呼子孫之孫爲『鬆』，昆腔之昆爲『空』之類是也。即有不盡然者，亦在依稀仿佛之間。正之亦如前法，則用力少而成功多。是使無東鍾而有東鍾，無真文而有真文，兩韵之音，各歸其本位矣。秦晋且然，况其他乎？大約北音多平而少入，多陰而少陽。吳音之便于學歌者，止以陰陽平仄不甚謬耳。然學歌之家，盡有度曲一生，不知陰陽平仄爲何物者，是與蠹魚日在書中，未嘗識字等也。予謂教人學歌，當從此始。

平仄陰陽既諳，使之學曲，可省大半工夫。正音改字之論，不止爲學歌而設，凡有生于一方，而不屑爲一方之士者，皆當用此法以掉其舌。至于身在青雲，有率吏臨民之責者，更宜洗滌方音，講求韵學，務使開口出言，人人可曉。常有官説話而吏不知，民辯冤而官不解，以致誤施鞭撲，倒用勸懲者。聲音之能誤人，豈淺鮮哉！

正音改字，切忌務多。聰明者每日不過十餘字，資質鈍者漸減。每正一字，必令于尋常説話之中，盡皆變易，不定在讀曲念白時。若止在曲中正字，他處聽其自然，則但于眼下依從，非久復成故物，蓋借詞曲以變聲音，非假聲音以善詞曲也。

三曰習態。態自天生，非關學力，前論聲容，已備悉其事矣。而此復言習態，抑何自相矛盾乎？曰：不然。彼説閨中，此言場上。閨中之態，全出自然。場上之態，不得不由勉强，雖由勉强，却又類乎自然，此演習之功之不可少也。生有生態，旦有旦態，外末有外末之態，净丑有净丑之態，此理人人皆曉；又與男優相同，可置弗論，但論女優之態而已。男優妝旦，勢必加以扭捏，不扭捏不足以肖婦人；女優妝旦，妙在自然，切忌造作，一經造作，又類男優矣。人謂婦人扮婦人，焉有造作之理，此語屬贅。不知婦人登場，定有一種矜持之態；自視爲矜持，人視則爲造作矣。須令于演劇之際，祇作家内想，勿作場上觀，始能免于矜持造作之病。此言旦脚之態也。然女態之難，不難于旦，而難于生；不難于生，而難于外末净丑；又不難于外末净丑之坐卧歡娱，而難于外末净丑之行走哭泣。總因脚小而不能跨大步，面嬌而不肯妝瘁容故也。然妝龍像龍，妝虎像虎，妝此一物，而使人笑其不似，是求榮得辱，反不若設身處地，酷肖神情，使人贊美之爲愈矣。至于美婦扮生，較女妝更爲綽約。潘安、衛玠，不能復見其生時，借此輩權爲小像，無論場上生姿，曲中耀目，即于花前月下偶作此形，與之坐談對弈，啜茗焚香，雖歌舞之餘文，實温柔鄉之异趣也。